Weihnachten 19[illegible]

für meine kleine

Sonja

von Tante Hanne

Illustrationen von E. H. Shepard

A. A. Milne

Pu der Bär

Cecilie Dressler Verlag · Hamburg
Atrium Verlag · Zürich

Aus dem Englischen übertragen von E. L. Schiffer
Neubearbeitung von Maria Torris

Umschlag von Lilo Fromm

Cecilie Dressler Verlag, Hamburg
Atrium Verlag, Zürich

Die englische Originalausgabe erschien unter dem Titel *Winnie-the-Pooh*
1926 by Methuen & Co. Ltd.
Gesamtherstellung: Salzer - Ueberreuter, Wien
Printed in Austria 1984
ISBN 3-7915-1321-4

Inhalt

Einleitung

Man kann nicht lange in einer großen Stadt sein, ohne einmal den Zoo zu besuchen. Alle Leute beginnen dort, wo „Eingang“ steht, und eilen so schnell, wie sie nur können, an jedem Käfig vorbei bis zu dem Tor, worüber „Ausgang“ zu lesen ist. Aber die netten Menschen gehen schnurstracks zu dem Tier, das sie am liebsten haben, und bleiben eine Weile da.

Wenn Christoph Robin in den Zoo kommt, läuft er sofort zu den Bären und flüstert dem dritten Wärter von links ein paar Worte zu. Dann wird eine Tür aufgeschlossen, und beide wandern durch dunkle Gänge und über schlecht erhellte Treppen hinauf, bis sie schließlich vor einem besonderen Käfig stehen. Der wird vorsichtig geöffnet, ein braunes, zottiges Tier trottet auf die beiden zu, und mit dem Freudenschrei „Ach, mein lieber Bär“ stürzt sich Christoph Robin in die Arme seines Freundes.

Dieser Bär heißt WINNIE. Das ist ein hübscher Name für einen Bären. Doch wie Winnie zu dem Namen PU kam, daran kann sich niemand mehr erinnern. Der Wärter und auch Christoph Robin haben es natürlich einmal gewußt, aber beide haben es leider wieder vergessen!

Als ich so weit geschrieben hatte, sah Ferkel auf und fragte mit seiner quieksigen Stimme: „Und was ist mit mir?“

„Mein liebes Ferkel“, sagte ich, „das ganze Buch handelt ja von dir.“
„Nein, von Pu“, klagte es.
Ihr versteht also, was mit Ferkel los ist: Es ist eifersüchtig, weil es glaubt, daß Pu die große Einleitung ganz für sich hat. Pu ist natürlich Nummer Eins, das kann man nicht leugnen. Aber Ferkel kommt für so viele Dinge in Frage, für die Pu ganz ausfällt. Zum Beispiel kann man Pu nicht mit zur Schule nehmen, ohne daß jeder es merkt. Ferkel ist jedoch so klein, daß es in eine Tasche paßt, und es ist sehr tröstlich, es dort zu fühlen, wenn man nicht genau weiß, ob zwei mal sieben zwölf oder zweiundzwanzig ist. Manchmal schlüpft Ferkel sogar hinaus und wirft einen Blick ins Tintenfaß, und so erwirbt es mehr Bildung als Pu. Aber Pu ist das gleichgültig. „Manche Leute haben Verstand, und manche haben keinen“, sagt er. So ist es ja auch.
Nun fragen alle anderen: „Und was ist mit uns?“ Ich glaube, darum ist es das beste, mit der Einleitungsschreiberei aufzuhören und mit dem Buch anzufangen.

A. A. Milne

Wir lernen
Pu den Bär und ein paar Bienen kennen,
und die Geschichte beginnt

Eduard Bär folgt – bums, bums, bums – auf seinem Hinterkopf Christoph Robin die Treppe hinunter. Soviel er weiß, kann man das nur auf diese Art tun, aber manchmal glaubte er, es würde ihm vielleicht eine andere Möglichkeit einfallen, wenn er nur einen Augenblick zu rutschen aufhören und nachdenken könnte. Und dann meinte er wieder, daß es wahrscheinlich doch keine bessere Lösung gäbe. Jedenfalls ist er jetzt am Fuß der Treppe angelangt und bereit, euch vorgestellt zu werden: Winnie-der-Pu.

Als ich seinen Namen zum ersten Mal hörte, fragte ich, ebenso wie ihr fragen werdet: „Aber ich habe ihn doch für einen Jungen gehalten?"

„Ich auch", bestätigte Christoph Robin.

„Dann kannst du ihn doch nicht Winnie nennen ..."

„Das tue ich ja gar nicht."

„Aber du hast doch gesagt ..."

„Er heißt Winnie-*der*-Pu. Weißt du denn nicht, was ‚der' bedeutet?"

„Ja, ja, jetzt weiß ich es", sagte ich schnell, und ich hoffe, ihr wißt es jetzt auch, denn das ist die einzige Erklärung, die ihr dafür bekommen werdet.

Wenn Winnie-der-Pu die Treppe heruntergekommen ist, spielt er

manchmal gern, manchmal aber sitzt er nur vor dem Kaminfeuer und hört sich eine Geschichte an. Heute abend ...
„Wie ist es mit einer Geschichte?“ fragte Christoph Robin.
„Wie es mit einer Geschichte ist?“ fragte ich.
„Würdest du so lieb sein und Pu eine erzählen?“
„Das wäre schon möglich“, antwortete ich. „Was für Geschichten mag er denn gern?“
„Geschichten über sich selbst, so ist er nun einmal.“
„Aha!“
„Würdest du also so gut sein?“
„Ich will es versuchen“, sagte ich.
Und ich tat es.

Vor langen, langen Zeiten, ungefähr am vorigen Freitag, wohnte Winnie-der-Pu unter dem Namen Sanders ganz allein in einem Wald.
„Was bedeutet das ‚unter dem Namen‘?“ fragte Christoph Robin.
„Es bedeutet, daß der Name in goldenen Buchstaben über seiner Tür stand und er darunter wohnte.“
Eines Tages, als er im Wald umherspazierte, kam er zu einer Lichtung, in deren Mitte eine große Eiche stand. In ihrem Wipfel tönte lautes Summen.
Winnie-der-Pu setzte sich am Fuß dieses Baumes hin, stützte seinen Kopf in die Pfoten und begann nachzudenken.

Zuerst sagte er zu sich selbst: „Dieses Geräusch da oben muß etwas bedeuten. Es gibt kein Geräusch, das immerfort summt und summt, wenn es nicht etwas Bestimmtes bedeutet, und der einzige Grund, den ich für ein solches Geräusch kenne, ist der, daß eine Biene da herumfliegt."

Dann überlegte er wieder eine lange Zeit und stellte schließlich fest: „Und der einzige mir bekannte Zweck, eine Biene zu sein, ist der, Honig zu liefern."

Zufrieden stand er auf und sagte: „Und der einzige Zweck, Honig zu liefern, ist, daß er von mir gegessen wird."

Winnie-der-Pu begann also den Baum hinaufzuklettern.

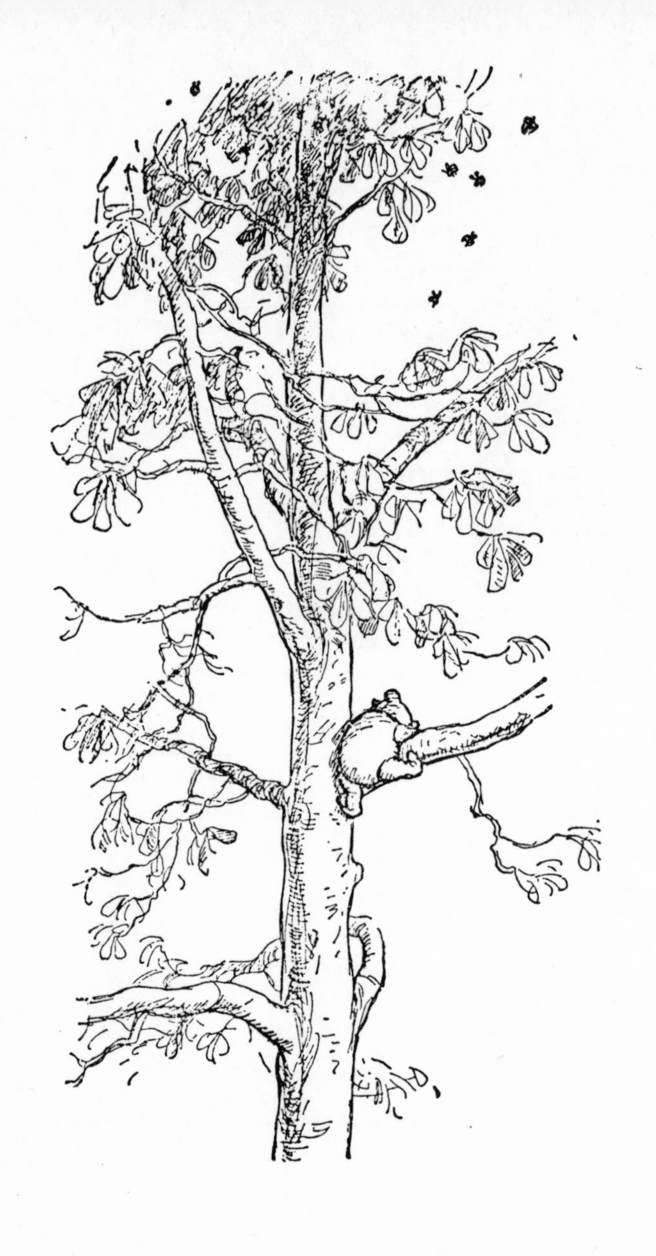

Er kletterte und kletterte und kletterte, und beim Klettern sang er sich ein Liedchen vor, das so lautete:

„Ist es nicht komisch,
daß ein Bär liebt den Honig?
Summ, summ, summ,
ich möchte wissen warum?"

Er stieg ein wenig höher ... und noch ein wenig höher ... und noch ein wenig höher. Inzwischen hatte er sich ein anderes Lied ausgedacht, so müde er allmählich auch geworden war:

„Wenn ein Bär wär' eine Biene,
baute er sich sein Nest bestimmt am Boden,
ob das nun komisch wär' oder nicht –
denn wäre nun wirklich die Biene ein Bär,
brauchte er längst nicht zu klettern mehr."

Jetzt war er fast oben im Wipfel, und wenn er noch auf diesen Zweig trat ... Knacks.

„Hilfe!" rief Pu, als er drei Meter tief auf den nächsten Zweig hinunterfiel.
„Wenn ich nur nicht ...", sagte er, als er sechs Meter tiefer auf dem nächsten Zweig aufschlug.
„Ich wollte nämlich ...", erklärte er, als er Hals über Kopf auf den übernächsten Zweig, der sich zehn Meter tiefer befand, hinunterkrachte, „ich wollte nämlich nur ..."
„Natürlich war es ziemlich ...", gab er zu, als er sehr schnell durch weitere sechs Zweige hindurchrutschte.

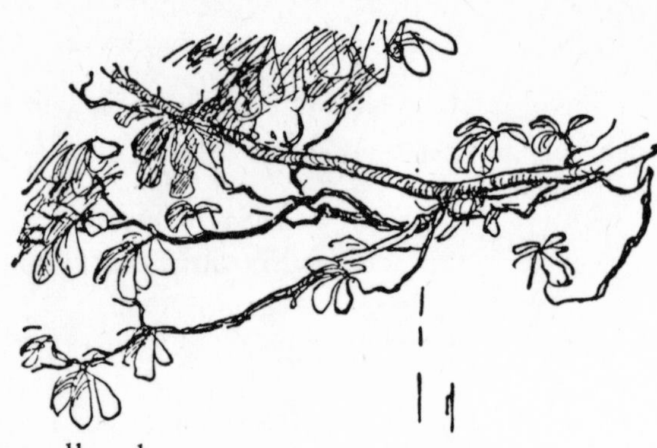

„Ich glaube, es kommt alles davon", stellte er fest, als er sich vom letzten Zweig verabschiedete, sich dreimal um sich selbst drehte und anmutig in einen Ginsterbusch flog, „es kommt alles davon, daß man so gern Honig nascht. Hilfe!"

Er krabbelte aus dem Ginsterbusch heraus, wischte sich die Stacheln von der Schnauze und begann wieder nachzudenken. Und die erste Person, an die er dachte, war Christoph Robin.

„Ich bin das gewesen?" fragte Christoph Robin ehrfürchtig.

„Ja, das bist du gewesen!"

Christoph Robin sagte nichts, aber seine Augen wurden größer und größer und sein Gesicht rot und röter.

Winnie-der-Pu ging also zu seinem Freund Christoph Robin, der in einem anderen Teil des Waldes hinter einer grünen Tür wohnte.

„Guten Morgen, Christoph Robin“, sagte er.
„Guten Morgen, Winnie-der-Pu“, sagtest du.
„Ich möchte wissen, ob du vielleicht zufällig so etwas Ähnliches wie einen Ballon hast?“
„Einen Ballon?“
„Ja. Gerade als ich hier vorbeikam, habe ich gedacht: Ich möchte wissen, ob Christoph Robin vielleicht so etwas wie einen Luftballon hat.“
„Wozu brauchst du denn einen Ballon?“ fragtest du.
Winnie-der-Pu sah sich um, ob niemand horchte, legte die rechte Pfote an den Mund und flüsterte: „Honig!“
„Aber bekommst du denn Honig mit Ballons?“
„Ganz bestimmt“, erklärte Pu.
Du warst gerade am vorigen Tag zu einer Kindergesellschaft bei deinem Freund Ferkel gewesen, und bei diesem Fest hatte es Ballons gegeben. Du hattest einen großen grünen bekommen, und einer von Kaninchens Freunden und Verwandten, der eigentlich noch viel zu klein war, um auf Kindergesellschaften zu gehen, hatte einen großen blauen bekommen und ihn liegenlassen, und so hattest du den grünen und den blauen mit nach Hause gebracht.
„Welchen möchtest du denn gern haben?“ fragtest du Pu.
Er stützte seinen Kopf zwischen die Pfoten und überlegte sich die Angelegenheit sehr sorgfältig.
„Das ist eine schwierige Frage“, antwortete er schließlich. „Wenn man sich mit einem Ballon Honig verschaffen will, ist es die Hauptsache, daß einen die Bienen nicht ertappen. Nimmt man einen grünen Ballon, halten sie einen vielleicht für ein Stück Baum und bemerken einen nicht; nimmt man aber einen blauen Ballon, halten

sie einen vielleicht für ein Stück Himmel und nehmen einen auch nicht wahr. Die Frage ist nur: Welcher ist am ähnlichsten?"
„Werden sie dich denn nicht unter dem Ballon entdecken?" fragtest du.
„Vielleicht oder vielleicht auch nicht", meinte Winnie-der-Pu. „Bei Bienen kann man es nie wissen." Er dachte einen Augenblick nach und sagte dann: „Ich will versuchen, wie eine kleine schwarze Wolke auszusehen, darauf werden sie hereinfallen."
„Dann nimmst du besser den blauen Ballon", antwortetest du; und damit war es entschieden.
Ihr gingt also beide mit dem Ballon fort, und du nahmst dein Schießgewehr mit, für alle Fälle, wie du es immer tust, und Winnie-

der-Pu ging zu einer Pfütze und rollte sich darin herum, bis er ganz schwarz war; und dann, als du den Ballon so groß aufgeblasen

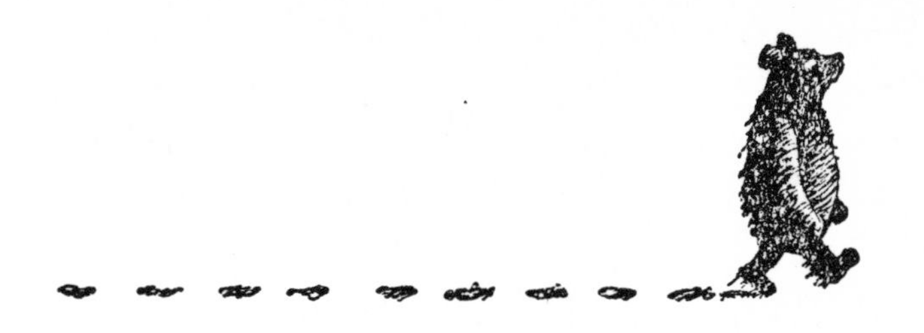

hattest wie nur möglich und mit Pu die Schnur hieltest, ließt du sie plötzlich los, und Pu stieg langsam in den Himmel hinauf und blieb in gleicher Höhe mit dem Baum, aber ungefähr sechs Meter von ihm entfernt stehen.

„Hurra!“ riefst du.

„Fein, was?“ brummte Pu zu dir hinunter. „Wie sehe ich aus?“

„Wie ein Bär, der sich an einem Ballon festhält“, meintest du.

„Nicht ...“, fragte Pu ängstlich, „nicht wie eine kleine schwarze Wolke am blauen Himmel?“

„Nicht sehr.“

„Nun, vielleicht sieht es von unten anders aus. Und, wie ich schon gesagt habe, bei Bienen kann man nie wissen, was sie denken.“

Es war ganz windstill, und nichts blies ihn näher an den Baum heran. Pu blieb also stehen, wo er war. Er sah den Honig, er roch den Honig, aber er kam nicht nahe genug an ihn heran.

Nach einer Weile meldete er sich wieder.

„Christoph Robin!“ flüsterte er.

„Hallo?"
„Ich glaube, die Bienen schöpfen Argwohn."
„Was schöpfen sie?"
„Ich weiß nicht, aber ich glaube Argwohn."
„Vielleicht denken sie, daß du ihnen ihren Honig wegnehmen willst?"
„Vielleicht, bei Bienen kann man nie wissen."
Er schwieg eine Weile, dann rief er wieder zu dir hinunter: „Christoph Robin ..."
„Ja?"
„Hast du vielleicht zu Hause einen Regenschirm?"
„Ich denke."
„Ach, könntest du ihn nicht holen und mit ihm auf und ab gehen und hin und wieder zum Himmel hinaufsehen und sagen: Ei, ei, das sieht aber nach Regen aus? Ich glaube, wenn du das tust, hilfst du mir, die Bienen zu täuschen."
Du lachtest über den dummen Bären, aber du sagtest es nicht, denn du hattest ihn sehr lieb, und du gingst nach Hause, um den Regenschirm zu holen.

„Ach, da bist du ja“, rief Winnie-der-Pu hinunter, sobald du zum Baum zurückgekehrt warst. „Ich habe mich schon geängstigt. Ich habe nämlich entdeckt, daß die Bienen jetzt wirklich einen Verdacht haben.“
„Soll ich meinen Regenschirm aufspannen?“ fragtest du.
„Ja, ja, aber warte einen Augenblick, wir müssen praktisch handeln. Die wichtigste Biene, die man täuschen muß, ist die Bienenkönigin. Kannst du von unten sehen, welche die Königin ist?“
„Nein.“
„Schade. Na, dann geh einfach mit deinem Regenschirm auf und ab und sage: Ei, ei, es sieht aus, als ob es regnen will. Ich werde dann ein kleines Lied singen, so eins, wie es vielleicht eine kleine Wolke singen würde ... Los!“
Während du auf und ab gingst und nach dem Himmel sahst, als ob es regnen wollte, sang Winnie-der-Pu sein Lied:

„Wie schön ist es, eine Wolke zu sein
und zu schweben allein
dort, wo der Himmel blaut ...
Darum singt jede Wolke laut:

Wie schön ist es, eine Wolke zu sein
und zu schweben allein
am blauen Himmel dahin,
das gibt so frohen, stolzen Sinn.“

Die Bienen summten noch immer so argwöhnisch wie zuvor. Einige hatten ihr Nest verlassen und flogen um die Wolke, als sie den

zweiten Vers ihres Liedes begann, und eine Biene setzte sich einen Augenblick der Wolke auf die Schnauze und schwirrte dann wieder davon.

„Christoph – au! – Robin", rief die Wolke.

„Ja?"

„Ich habe eben nachgedacht und bin zu einem sehr wichtigen Ergebnis gekommen. Es sind die falschen Bienen."

„Wirklich?"

„Ja, die falsche Sorte. Ich glaube, sie machen auch den falschen Honig."

„Wirklich?"
„Ja, ich meine, es ist besser, wenn ich hinunterkomme."
„Aber wie?" fragtest du.
Darüber hatte Winnie-der-Pu nicht nachgedacht. Wenn er die Schnur fahren ließ, würde er – plumps – hinunterfallen, und diese Entscheidung mochte er auf keinen Fall. Er überlegte also eine lange Weile und sagte dann:
„Christoph Robin, du mußt mit deinem Gewehr ein Loch in den Ballon schießen. Hast du dein Gewehr bei dir?"
„Natürlich", antwortetest du. „Aber wenn ich das tue, geht der Ballon kaputt."
„Aber wenn du es nicht tust", erklärte Pu, „muß ich ihn loslassen, und dann gehe ich kaputt."
Als er das sagte, sahst du, wie es um ihn stand, und du zieltest sehr sorgfältig auf den Ballon und drücktest ab.
„Au!" rief Pu.
„Habe ich nicht getroffen?" fragtest du.
„Getroffen hast du schon", brummte Pu, „aber leider nicht den Ballon."
„Das tut mir leid", sagtest du und gabst noch einmal Feuer, und diesmal trafst du den Ballon. Die Luft strömte langsam aus ihm heraus, und Winnie-der-Pu schwebte zur Erde hinunter.
Da er sich aber die ganze Zeit über an der Schnur des Ballons festgehalten hatte, waren seine Arme so steif geworden, daß sie mehr als eine Woche nach oben gerichtet stehen blieben, und wenn eine Fliege sich auf seiner Schnauze niederließ, mußte er sie fortpusten. Ich glaube, darum wurde er – aber ich weiß es nicht ganz genau – Pu genannt.

„Ist die Geschichte zu Ende?“ fragte Christoph Robin.
„Ja, diese Geschichte ist zu Ende, aber es gibt noch andere.“
„Über Pu und mich?“
„Ja, und über Ferkel und Kaninchen und euch alle. Erinnerst du dich nicht mehr daran?“
„Doch, doch, aber wenn ich versuche, mich ganz deutlich zu erinnern, vergesse ich alles wieder.“
„Erinnerst du dich nicht mehr an den Tag, wo Pu und Ferkel versuchten, den Heffalump zu fangen?“
„Aber sie haben ihn nicht gefangen?“
„Nein.“
„Pu hat es natürlich nicht gekonnt, denn er hat keinen Verstand. Habe ich ihn gefangen?“
„Das wirst du in der nächsten Geschichte hören.“
Christoph Robin nickte.
„Ja, ich entsinne mich“, sagte er, „nur Pu weiß es nicht mehr so gut, darum hat er es immer gern, wenn man es ihm wieder erzählt, denn

dann ist es eine wirkliche Geschichte und nicht nur eine Erinnerung."
„Ja, das finde ich auch", sagte ich.
Christoph Robin seufzte tief, ergriff seinen Bären beim Bein und ging zur Tür, Winnie-den-Pu hinter sich her ziehend. Auf der Schwelle drehte er sich um und fragte: „Kommst du zu mir, wenn ich bade?"
„Vielleicht", antwortete ich.
„Es hat ihm doch nicht weh getan, als ich ihn angeschossen habe, nicht wahr?"
„Nein, kein bißchen."
Er nickte und verließ das Zimmer, und einen Augenblick später war zu hören, wie Winnie-der-Pu – bums, bums, bums – hinter ihm die Treppe hinaufging.

Pu
stattet einen Besuch ab
und gerät in die Klemme

Eduard Bär, seinen Freunden als Winnie-der-Pu bekannt, spazierte eines Tages, stolz vor sich hin summend, durch den Wald. Er hatte sich heute morgen eine kleine Melodie ausgedacht, während er vor dem Spiegel seine Gymnastikübungen machte: „Tra-la-la, tra-la-la“, als er sich so hoch wie möglich aufreckte, und dann: „Tra-la-la, tra-la-ach, hopp-la“, als er versuchte, mit ausgestreckten Armen seine Zehenspitzen zu berühren. Nach dem Frühstück wiederholte er das Gedudel immer wieder, bis er es schließlich auswendig konnte, und nun summte er es von Anfang bis zu Ende fehlerlos vor sich hin:

„Tra-la-la, tra-la-la,
tra-la-la, tra-la-la,
Rum-tum, tiedel-tum.
Tiedel-tiedel, tiedel-tiedel,
tiedel-tiedel, tiedel-tiedel,
Rum-tum-tum-tiedel-tum.“

Vergnügt spazierte er dabei durch den Wald und sann darüber nach, was seine Freunde wohl tun würden und was für ein Gefühl es wäre, auf einmal irgend jemand anderes zu sein, als er plötzlich zu einem Sandhügel kam, in dem sich ein großes Loch befand.

„Aha!“ rief Pu. „Rum-tum-tiedel-tum-tum – Wenn ich etwas über etwas weiß, bedeutet dieses Loch Kaninchen, und Kaninchen bedeutet etwas zu essen und meinem Summen zuhören und so weiter. Rum-tum-tum-tiedel-tum.“
Er beugte sich hinunter, steckte seinen Kopf in das Loch und rief: „Ist jemand zu Hause?“
Innen ertönte ein scharrendes Geräusch, aber dann war alles still.
„Ich habe gefragt: Ist jemand zu Hause?“ rief Pu sehr laut.
„Nein“, antwortete eine Stimme und fügte dann hinzu: „Du brauchst nicht so laut zu schreien, ich habe dich schon das erste Mal sehr gut verstanden.“
„Wie dumm“, rief Pu. „Ist denn wirklich niemand da?“
„Nein. Niemand.“
Winnie-der-Pu zog seinen Kopf zurück. Er dachte etwas nach und sagte dann zu sich selbst: „Jemand muß aber doch da sein, denn jemand hat schließlich ‚niemand‘ gesagt.“ Er steckte also seinen Kopf abermals in das Loch und rief:
„Hallo, Kaninchen, bist du es?“
„Nein“, sagte Kaninchen, diesmal mit einer anderen Stimme.
„Aber ist das nicht die Stimme von Kaninchen?“
„Ich glaube nicht“, antwortete Kaninchen. „Wenigstens soll sie es nicht sein.“
„Ach so!“ rief Pu.
Er zog seinen Kopf heraus und dachte noch einmal nach, steckte ihn dann wieder hinein und bat: „Würden Sie vielleicht so freundlich sein und mir sagen, wo Kaninchen ist?“
„Es ist zu Pu dem Bären gegangen, mit dem es sehr befreundet ist.“
„Aber das bin doch ich!“ rief Pu sehr erstaunt.

„Was für ein Ich?“
„Pu der Bär.“
„Wissen Sie das auch ganz genau?“ fragte Kaninchen noch erstaunter.
„Ja, ganz genau“, versicherte Pu.
„Dann komm herein.“
Pu zwängte sich durch das Loch und kam schließlich hinein.

„Du hast recht“, sagte Kaninchen und betrachtete ihn. „Du bist es wirklich. Freut mich, dich zu sehen.“
„Was hast du denn gedacht, wer es wäre?“
„Ich war mir nicht ganz sicher. Du weißt doch: Im Wald darf man nicht jeden ins Haus lassen, man muß vorsichtig sein. Wie denkst du über einen kleinen Mundvoll?“
Pu liebte um elf Uhr vormittags immer einen kleinen Mundvoll und freute sich, als Kaninchen Teller und Schüsseln auf den Tisch setzte und sich erkundigte: „Willst du Honig oder süße Sahne aufs Brot?“ Pu wurde so aufgeregt, daß er „beides“ sagte und dann,

um nicht allzu gierig zu erscheinen, noch hinzufügte: „Aber wegen des Brotes brauchst du dich nicht zu bemühen." Und danach verstummte er für eine ganze Weile ... bis er mit ziemlich erstickter Stimme zu summen begann, aufstand, Kaninchen liebevoll die Pfote schüttelte und erklärte, daß er jetzt weitergehen müsse.

„Mußt du wirklich schon gehen?" fragte Kaninchen höflich.

„Nun", antwortete Pu, „ich könnte noch etwas länger bleiben, wenn es ... wenn du ... " Und er starrte auf die Speisekammer.

„Ich wollte eigentlich auch gerade fortgehen", sagte Kaninchen.

„So, dann will ich mich doch auf den Weg machen. Auf Wiedersehen!"

„Auf Wiedersehen! Möchtest du auch wirklich nicht noch etwas haben?"

„Gibt es denn noch etwas?" fragte Pu schnell.

Kaninchen hob die Deckel von den Schüsseln. „Nein, es ist nichts mehr da."

„Das habe ich mir gedacht“, murmelte Pu und nickte vor sich hin. „Also auf Wiedersehen, ich muß jetzt weiter.“

Er begann aus dem Loch hinauszuklettern, zog sich mit den Vorderpfoten hinauf und stieß sich mit den Hinterpfoten ab, und nach einer kleinen Weile steckte er seine Schnauze ins Freie ... dann seine Ohren ... dann seine Vorderpfoten ... dann seine Schultern ... und dann ...

„Hilfe!“ rief Pu. „Ich glaube, ich muß wieder zurückkriechen!“

„Verflixt!“ jammerte Pu. „Ich muß hinaus.“

„Ach – ich kann keins von beiden“, rief Pu. „Verwünschte Geschichte!“

Kaninchen wollte jetzt auch spazierengehen, und da seine Vordertür verstopft war, ging es zur Hintertür hinaus, kam zu Pu und betrachtete ihn.

„Hallo! Steckengeblieben?“ fragte es.

„N-nein“, sagte Pu, „ich ruhe mich bloß ein bißchen aus und summe vor mich hin.“

„Gib mir doch einmal deine Pfote.“

Pu streckte eine Pfote aus, und Kaninchen zog und zog und zog daran.

„Au!“ rief Pu. „Du tust mir ja weh!“

„Du bist steckengeblieben“, stellte Kaninchen fest.

„Das kommt davon, wenn bei Leuten die Vordertür nicht groß genug ist“, brummte Pu ärgerlich.

„Das kommt davon, wenn Leute zuviel essen“, erklärte Kaninchen streng. „Ich habe es mir gleich gedacht, aber ich habe nicht sagen wollen, daß einer von uns beiden zuviel ißt, denn ich habe es nicht getan. Ich werde jetzt Christoph Robin holen.“

Christoph Robin wohnte am anderen Ende des Waldes. Als er mit Kaninchen zurückkam und Pus Vorderteil sah, sagte er mit einer so liebevollen Stimme „dummer alter Bär“, daß sich jedes Herz sofort wieder mit Hoffnung füllte.

„Mir ist gerade eingefallen, daß Kaninchen vielleicht nie wieder seine Vordertür wird benutzen können“, meinte Pu und schnüffelte leicht. „Und das würde mir höchst peinlich sein.“

„Mir auch“, sagte Kaninchen.

„Seine Vordertür nie wieder benutzen?“ fragte Christoph Robin. „Natürlich wird es seine Vordertür wieder benutzen. Wenn wir dich nicht herausziehen können, Pu, werden wir dich vielleicht wieder zurückstoßen müssen.“

Kaninchen kratzte sich nachdenklich seinen Backenbart und wies darauf hin, daß Pu, wenn er einmal zurückgestoßen wäre, unter der Erde bleiben würde, und obgleich natürlich niemand glücklicher wäre als Kaninchen, Pu bei sich zu sehen, so müßte es doch darauf hinweisen, daß manche Leute auf Bäumen und manche unter der Erde lebten.

„Du meinst, ich würde nie wieder hinauskommen?" fragte Pu.

„Ich meine", antwortete Kaninchen, „wo du schon so weit gekommen bist, wäre es schade, dieses Stück Weg zu verschwenden."

Christoph Robin nickte.

„Wir können nichts anderes tun", stellte er fest, „als warten, bis du dünner geworden bist."

„Wie lange dauert Dünnerwerden?" fragte Pu ängstlich.

„Ungefähr eine Woche."

„Aber ich kann doch nicht eine Woche hier bleiben."

„Eine Woche kannst du ruhig hier bleiben, dummer dicker Bär. Dich herauszuziehen ist zu schwer."

„Wir werden dir etwas vorlesen", versprach Kaninchen aufmunternd.

„Hoffentlich schneit es nicht", fügte es hinzu. „Und da du alter Bursche einen guten Teil meiner Wohnung einnimmst, hast du wohl nichts dagegen, wenn ich deine Hinterfüße als Handtuchhalter gebrauche? Ich meine, sie sind nun einmal da und tun nichts, und es wäre mir sehr angenehm, wenn ich Tücher auf ihnen trocknen könnte."

„Eine Woche", murmelte Pu düster. „Was werde ich zu essen bekommen?"

„Ich fürchte, nichts", sagte Christoph Robin. „Du wirst dann schneller dünn. Aber wir werden dir bestimmt vorlesen."

Pu wollte seufzen, aber da merkte er, daß er gar nicht seufzen konnte, weil er so fest eingeklemmt war. Eine Träne rollte ihm die Wange hinunter, als er sagte:
„Dann mußt du mir aber ein sehr spannendes Buch vorlesen, eines, das einen steckengebliebenen Bären in seiner großen Klemme tröstet.“

Eine Woche lang las Christoph Robin Pus Nordende so ein unterhaltendes Buch vor, und Kaninchen hängte seine Wäsche an Pus Südende auf, und zwischen den beiden Teilen fühlte sich der Bär immer schlanker und schlanker werden. Am letzten Tag der Woche sagte Christoph Robin: „Jetzt!“
Er nahm Pus Vorderpfoten, und Kaninchen hielt sich an Christoph Robin fest, und alle Kaninchenfreunde und -verwandten klammerten sich an Kaninchen und zogen mit vereinten Kräften.

Eine Zeitlang sagte Pu nur „au“ und immer wieder „au“.
Aber plötzlich knallte es „Popp“, als ob ein Kork aus einer Flasche flöge.
Christoph Robin und Kaninchen und alle Kaninchenfreunde und -verwandten fielen Hals über Kopf rückwärts, und oben auf ihnen lag der befreite Winnie-der-Pu.
Mit einem dankbaren Kopfnicken für seine Freunde setzte er seinen Spaziergang durch den Wald fort und summte stolz vor sich hin.
Christoph Robin sah ihm liebevoll nach und murmelte: „Dummer alter Bär.“

Pu und Ferkel gehen auf die Jagd und fangen beinahe ein Wuschel

Ferkel bewohnte eine großartige Wohnung mitten in einer Buche, und die Buche stand mitten im Wald, und Ferkel lebte mitten darin. Neben seinem Haus hing ein zerbrochenes Schild, auf dem „Verboten Is" zu lesen war.

Als Christoph einmal fragte, was das bedeute, sagte es, dies wäre der Name seines Großvaters, und es gäbe ihn schon lange in der Familie. Christoph Robin antwortete, daß man sich aber nicht „Verboten Is" nennen könne, und Ferkel meinte, doch, das könne man, denn sein Großvater hätte es getan, und es wäre die Abkürzung von „Verboten Ise", was wieder die Abkürzung wäre von „Verboten Isel". Sein Großvater hätte nämlich zwei Namen gehabt für den Fall, daß er den einen verlöre. Er hieß Verboten nach einem Onkel und Isel nach Verboten.

„Ich habe auch zwei Namen", erklärte Christoph Robin nachlässig.

„Siehst du, das beweist es ja", antwortete Ferkel.

Eines schönen Wintermorgens, als Ferkel den Schnee vor seinem Haus wegfegte, blickte es zufällig auf, und vor ihm stand Winnie-der-Pu. Der Bär lief immerfort im Kreis herum und dachte an Gott weiß was. Auch als Ferkel ihn ansprach, blieb er nicht stehen.

„Hallo", rief Ferkel, „was tust du denn?"

„Ich jage", sagte Pu.

„Was jagst du?"
„Ich spüre etwas auf", erklärte Winnie-der-Pu geheimnisvoll.
„Was spürst du auf?" wollte Ferkel wissen und kam näher.
„Das frage ich mich selbst. Ich frage mich selbst, was?"
„Was wirst du dir denn antworten?"
„Ich muß warten, bis ich es habe", sagte Winnie-der-Pu. „Guck mal!" Er zeigte auf den Boden vor sich. „Was siehst du da?"

„Spuren“, sagte Ferkel. „Fußspuren.“ Es quietschte aufgeregt. „Ach, Pu, glaubst du, daß es ein Wuschel ist?“

„Vielleicht“, meinte Pu. „Manchmal ist es eins, und manchmal ist es keins. Bei Fußspuren kann man es nie wissen.“

Nach diesen Worten fuhr er fort, der Fährte zu folgen, und Ferkel, das ihm ein paar Augenblicke zugesehen hatte, rannte ihm nach. Winnie-der-Pu blieb plötzlich stehen und beugte sich erstaunt nieder.

„Was ist denn los?“ fragte Ferkel.

„Komische Geschichte“, murmelte Pu der Bär. „Jetzt scheinen es auf einmal zwei Tiere zu sein. Diesem Was-immer-es-ist hat sich ein anderes Was-immer-es-ist angeschlossen, und die beiden setzen gemeinsam ihren Weg fort. Würdest du vielleicht so gut sein und mich begleiten, falls es feindliche Tiere sein sollten?“

Ferkel kratzte sich hinter den Ohren und sagte, daß es bis Freitag nichts zu tun habe und sehr entzückt sein würde, mitzugehen, wenn es wirklich ein Wuschel sein sollte.

„Du meinst, falls es wirklich zwei Wuschel sein sollten“, stellte Winnie-der-Pu richtig, und Ferkel wiederholte sein Angebot. Dann gingen sie miteinander fort.

Vor ihnen lag ein kleines Gehölz von Lärchenbäumen, und es schien, als ob die beiden Wuschel, wenn es welche waren, dieses

Gebiet umkreist hätten. Pu und Ferkel folgten ihnen also um die Bäume herum. Ferkel verbrachte die Zeit damit, zu erzählen, was sein Großvater Verboten Is getan hätte, um steife Glieder nach Spurensuchen wieder beweglich zu machen, und wie sein Großvater Verboten Is früher an Atemnot gelitten hätte und andere interessante Sachen, und Pu überlegte, wie wohl ein Großvater aussehen könnte und ob sie jetzt wohl zwei Großvätern nachgingen, und wenn dies der Fall wäre, ob man ihm erlauben würde, den einen mit zu sich nach Hause zu nehmen und aufzubewahren, und was Christoph Robin wohl dazu sagen würde. Und immer noch führte die Spur vor ihnen weiter ...

Plötzlich blieb Pu stehen und zeigte aufgeregt vor sich auf den Boden: „Sieh mal!"

„Was?" sagte Ferkel und sprang in die Höhe. Und dann, um zu zeigen, daß es nicht erschrocken sei, sprang es noch einmal auf und nieder, als ob es turnte.

„Die Spuren!" sagte Pu. „Ein drittes Tier hat sich den anderen zugesellt."

„Pu“, rief Ferkel aufgeregt, „glaubst du, daß es ein Wuschel ist?“
„Nein“, sagte Pu, „die Spuren sind ganz anders. Entweder sind es zwei Wuschel und vielleicht ein Wischel oder zwei Wischel und vielleicht ein Wuschel. Wir wollen ihnen in aller Ruhe folgen.“
Sie gingen also weiter, wenn sie sich auch etwas fürchteten, weil die drei Tiere möglicherweise feindliche Absichten hegen könnten. Ferkel wünschte sehr, daß sein Großvater Verboten Is hier wäre, statt sich irgendwo anders zu befinden, und Pu dachte, wie nett es wäre, wenn sie plötzlich ganz zufällig Christoph Robin treffen würden, einfach nur deshalb, weil er Christoph Robin so gern hatte. Auf einmal blieb Winnie-der-Pu wieder unversehens stehen und leckte sich zur Abkühlung seine Nase, denn ihm war heißer und ängstlicher zumute als je zuvor in seinem Leben. Er hatte vor sich die Fußspuren von vier Tieren erkannt.
„Siehst du das, Ferkel?“ rief er. „Sieh nur diese Spuren! Drei Wuschel und wie vorhin ein Wischel dazu. Noch ein Wuschel hat sich ihnen angeschlossen.“
Dies schien wirklich der Fall zu sein. Auf dem Boden zeichneten sich Spuren ab, die sich kreuzten und sich mit den drei anderen verbanden. Aber ganz deutlich waren hier und da die Abdrücke von vier Paar Pfoten zu erkennen.
„Ich glaube“, sagte Ferkel, nachdem es sich ebenfalls seine Nasenspitze geleckt und gespürt hatte, daß das nur wenig tröstete, „ich glaube, mir ist etwas eingefallen, was ich zu tun vergessen habe und morgen nicht tun kann. Ich glaube, es ist besser, ich kehre jetzt gleich um.“
„Tu es heute nachmittag, ich begleite dich dann“, bot Pu ihm an.
„Es ist etwas, das man nachmittags nicht tun kann“, widersprach

Ferkel schnell. „Es ist eine besondere Vormittagssache, die vormittags erledigt werden muß – wenn möglich zwischen ... wie spät ist es jetzt?"

„Ungefähr zwölf", antwortete Winnie und blickte nach der Sonne.

„Zwischen zwölf und zwölf Uhr fünf, wie ich schon gesagt habe. Also wirklich, lieber guter Pu, entschuldige mich bitte ... Oh – was war das?"

Pu sah zum Himmel auf und dann, als er das Pfeifen wieder hörte, in die Zweige eines großen Eichbaumes, und dort erblickte er einen seiner Freunde.

„Es ist Christoph Robin", sagte er.

„Ach, dann ist ja alles in Ordnung“, meinte Ferkel. „Mit ihm bist du völlig sicher. Lebe wohl.“ Und es trabte, so schnell es konnte, nach Hause, froh, daß es jetzt aus aller Gefahr heraus war.

Christoph Robin kletterte langsam den Baum hinunter.

„Dummer, alter Bär“, sagte er, „was machst du da eigentlich? Zuerst bist du einmal allein um das Gehölz gelaufen, und dann ist Ferkel dir nachgekommen, und dann seid ihr miteinander herumgegangen, und eben seid ihr gerade das vierte Mal ...“

„Warte einen Augenblick“, bat Pu und hielt eine Pfote hoch.

Er setzte sich hin und dachte in der eindringlichsten Weise nach. Dann legte er seine Pfote in eine der Spuren, schüttelte den Kopf, kratzte sich die Schnauze und stand wieder auf.

„Ja“, sagte Winnie-der-Pu, „jetzt verstehe ich. Ich bin dumm und verblendet gewesen. Ich bin ein Bär ohne jeden Verstand.“

„Du bist der beste Bär der Welt“, versicherte Christoph Robin beruhigend.

„Wirklich, bin ich das?“ fragte Pu hoffnungsvoll und wurde plötzlich wieder vergnügt.

„Auf jeden Fall ist es Zeit zum Mittagessen“, stellte er fest. Und darum gingen beide nach Hause.

I-Aah verliert seinen Schwanz, und Pu findet ihn

Der alte graue Esel I-Aah stand allein in einer mit Disteln bewachsenen Ecke des Waldes, die Vorderfüße recht breit auseinandergeschoben, den Kopf auf die Seite gelegt, und ging mit sich zu Rate.

Manchmal dachte er traurig: Warum? Und manchmal dachte er: Wozu? Und manchmal dachte er: Inwiefern? Und manchmal wußte er nicht, worüber er nachdachte. Darum war I-Aah sehr froh, als Winnie-der-Pu durch den Wald gestapft kam. Nun konnte er einen Augenblick mit Denken aufhören und sich düster „Wie geht es dir?" erkundigen.

„Und wie geht es dir?" fragte Winnie-der-Pu.

I-Aah schüttelte den Kopf.

„Nicht sehr wie", seufzte er. „Mir scheint es seit langer Zeit überhaupt nicht mehr sehr wie zu gehen."

„O jemine", sagte Pu. „Das tut mir aber leid. Laß dich einmal anschauen."

I-Aah stand da und starrte traurig auf den Boden, und Winnie-der-Pu ging um ihn herum.

„Was ist denn mit deinem Schwanz geschehen?" brummte er überrascht.

„Was meinst du denn mit geschehen?" fragte I-Aah.

„Er ist nicht da."

„Weißt du das genau?"

„Ja, denn entweder ist ein Schwanz da, oder er ist nicht da. Dabei kann man sich nicht irren, und deiner ist nicht da."

„Was ist denn sonst da?"

„Nichts."

„Das müssen wir uns einmal ansehen", meinte I-Aah, und er drehte sich langsam zu der Stelle um, wo vor einer Weile der Schwanz gesessen hatte, und als er sah, daß er ihn nicht finden konnte, drehte er sich zur anderen Seite um, bis er zu der Stelle kam, wo er eben schon gewesen war. Dann beugte er seinen Kopf und sah zwischen den Vorderbeinen hindurch, und schließlich sagte er mit einem langen, traurigen Seufzer: „Ich glaube, du hast recht."

„Natürlich habe ich recht", beteuerte Pu.

„Das erklärt eine ganze Menge", schnaufte I-Aah düster. „Nein, das erklärt alles. Kein Wunder."

„Du mußt ihn irgendwo gelassen haben", sagte Winnie-der-Pu.
„Jemand muß ihn genommen haben", widersprach I-Aah. „Das sieht ihnen ähnlich", fügte er nach langem Schweigen hinzu.
Pu fühlte, daß er etwas tun müßte, aber er wußte nicht genau, was. So entschloß er sich, hilfreich zu sein.
„I-Aah", versprach er feierlich, „ich, Winnie-der-Pu, werde deinen Schwanz suchen."

„Danke, Pu“, antwortete I-Aah. „Du bist ein wahrer Freund. Nicht wie die anderen.“

Winnie-der-Pu begab sich also auf die Suche nach I-Aahs Schwanz.
Es war ein schöner Frühlingsmorgen. Kleine leichte Wölkchen spielten fröhlich am blauen Himmel und segelten von Zeit zu Zeit an der Sonne vorbei, als ob sie sie auslöschen wollten, und glitten dann plötzlich wieder fort, damit die nächsten herankommen konnten.
Der Bär marschierte zwischen Gebüsch und Gehölz, oft über Abhänge von Ginster und Heide, über steinige Flußbetten, über steile Ufer aus Sandstein in die Heide hinein, und schließlich kam er müde und hungrig zum Hundert-Morgen-Wald. Hier lebte Eule.
„Denn wenn wer über etwas Bescheid weiß“, murmelte Pu vor sich hin, „dann ist es Eule, oder ich will nicht Winnie-der-Pu heißen. – So, da wären wir“, fügte er hinzu.
Eule lebte in den Kastanien in einem alten schönen Palast, der prächtiger war als alles, was der Bär je gesehen hatte. Vor der Tür hingen ein Klopfer und ein Klingelzug. Unter dem Klopfer stand ge-

Bitte kling
wo Antwort
erwatet wid
Bitte klopfn
wo keihne Antw
erwatet wid

schrieben: „Bitte klingln wo Antwort erwatet wid.“ Unter dem Klingelzug stand eine andere Notiz, die lautete: „Bitte klopfn wo keihne Antwort erwatet wid.“

Diese Anweisungen hatte Christoph Robin geschrieben, denn er war der einzige im Wald, der so etwas konnte; die alte Eule, obwohl in vielen Dingen sehr weise, war zwar imstande, ihren eigenen Namen „Eule“ zu buchstabieren und zu schreiben, aber mit so schwierigen Worten wie „Keuchhusten“ und „Marmeladenbrot“ wurde sie nicht fertig.

Winnie-der-Pu las die beiden Zettel sehr sorgsam, erst von links nach rechts, und dann, für den Fall, daß er etwas übersehen haben sollte, auch von rechts nach links. Um ganz sicherzugehen, klopfte und zog er schließlich an Klopfer und Klingelschnur und rief mit lauter Stimme: „Eule! Ich möchte eine Antwort haben, Bär ist hier.“

Nach einer Weile öffnete sich die Tür, und Eule sah heraus.

„Hallo, Pu“, sagte sie. „Wie geht’sss denn?“

„Schrecklich und traurig“, antwortete Pu. „Mein Freund I-Aah hat seinen Schwanz verloren und ist sehr unglücklich darüber. Könntest du vielleicht so freundlich sein und mir sagen, wie ich ihn wiederfinde?“

„Nun“, begann die Eule, „die üblichen Prozeduren in sssolchen Fällen sssind folgende ...“

„Was sind Prozeßuhren?“ fragte Pu. „Ich bin ein Bär von kleinem Verstand, und lange Wörter verwirren mich.“

„Esss bedeutet dasss Ding, dasss man tun musss.“

„Wenn es das bedeutet, ist es mir recht“, erklärte Pu demütig und bescheiden.

„Man musss folgendesss tun: Erssst einen Preisss ausssetzen. Dann…"

„Einen Augenblick", bat Pu und hielt seine Pfote empor. „Was wollen wir tun? Was hast du gesagt? Du hast gerade geniest, als du es mir sagen wolltest."

„Ich habe nicht geniesst", sagte die Eule.

„Du hast geniest, Eule."

„Entschuldige bitte, Pu, dasss habe ich nicht getan. Man kann nicht niesssen und esss nicht wisssen."

„Doch, man kann es tun, ohne es zu wissen."

„Wasss ich gesssagt habe, war, erssst einen Preisss ausssetzen."

„Siehst du, du hast es wieder getan", sagte Pu traurig.

„Einen Preisss", fuhr Eule sehr laut fort. „Wir schreiben einen Zettel ausss, auf dem steht, dasss wir jedem, der I-Aahsss Schwanz findet, etwasss geben."

„Ach so, ach so", brummte Pu und nickte mit dem Kopf. „Da wir gerade miteinander reden", fuhr er träumerisch fort, „im allgemeinen

nehme ich nämlich um diese Zeit gern einen kleinen Mundvoll zu mir, so um diese Zeit des Vormittags."
Versonnen sah er zu dem Schrank in dem Zimmer von Eule hinüber.
„Einen Mundvoll kondensierte Sahne oder irgend etwas, vielleicht mit einem Löffel Honig."
„Alssso", sagte Eule, „wir schreiben diesssen Zettel ausss und verteilen ihn im ganzen Wald."
„Einen Löffel Honig", murmelte Pu vor sich hin, „oder – oder nicht, wie es gerade geht ..." Er stieß einen tiefen Seufzer aus und versuchte, Eule aufmerksam zuzuhören.
Aber Eule sprach immer weiter und weiter und gebrauchte immer längere und längere Wörter, bis sie zuletzt an den Punkt zurückkam, an dem sie begonnen hatte, und Pu auseinandersetzte, daß derjenige, der diesen Zettel schreiben sollte, Christoph Robin sei.
„Er hat auch die an meiner Vordertür geschrieben. Hassst du sssie gesssehen, Pu?"
Pu hatte eine Zeitlang zu allem, was Eule sagte, mit geschlossenen Augen nur immer abwechselnd „ja" und „nein" gesagt, und da er zuletzt „ja, ja" gesagt hatte, sagte er jetzt „Nein, durchaus nicht", ohne daß er wußte, wovon Eule eigentlich sprach.
„Hassst du sssie nicht gesssehen?" fragte Eule ein wenig überrascht.
„Komm und schau sssie dir an."
Sie gingen hinaus, und Pu schaute den Klingelzug und die Anmerkung darüber an, und er sah den Klopfer und die Notiz darunter an, und je länger er den Klingelzug betrachtete, desto stärker fühlte er, daß er etwas Ähnliches vor einiger Zeit irgendwo anders erblickt hatte.
„Schöner Klingelzug, nicht wahr?" fragte Eule.

Pu nickte.

„Aber er erinnert mich an etwas, und ich weiß nicht, an was. Wo hast du ihn her?“

„Ich bin durch den Wald gegangen, und da hat er über einem Busch gehangen, und ich habe zuerssst gedacht, dasss dort jemand wohnt, und ich habe daran gezogen, und alsss nichtsss geschah, habe ich wieder daran gezogen, und da issst er mir in der Hand geblieben, und da ihn niemand zu brauchen schien, habe ich ihn mit nach Hausss genommen und ..."
„Eule", erklärte Pu feierlich, „du hast dich geirrt. Jemand braucht ihn. I-Aah. Mein Freund I-Aah, er hat – er hat ihn sehr geliebt."
„Geliebt?"
„Er hing an ihm", sagte Winnie-der-Pu traurig.
Mit diesen Worten hakte er den Klingelzug ab und trug ihn zu I-Aah zurück, und als Christoph Robin ihn wieder an seinem richtigen

Platz angebracht hatte, sprang I-Aah durch den Wald und schwang seinen Schwanz so lustig, daß auch Winnie-der-Pu sehr vergnügt wurde und nach Hause eilen mußte, um einen kleinen Mundvoll

zu nehmen, der ihn stärkte. Und eine halbe Stunde später sang er stolz vor sich hin:

„Wer fand den Schwanz?
Ich, Pu der Bär, –
nicht halb, sondern ganz:
Ich fand den Schwanz!“

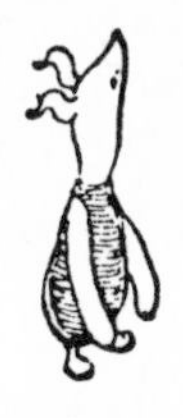

Ferkel
trifft einen Heffalump

Eines Tages, als Christoph Robin und Winnie-der-Pu und Ferkel sich miteinander unterhielten, schluckte Christoph Robin plötzlich alles, was er im Mund hatte, hinunter und erzählte ganz nebenbei: „Ich habe heute einen Heffalump gesehen, Ferkel."
„Was hat er denn getan?" fragte Ferkel.
„Ach, er lumpelte so dahin", antwortete Christoph Robin. „Ich glaube nicht, daß er mich bemerkt hat."
„Ich habe auch einmal einen gesehen", sagte Ferkel. „Ich glaube wenigstens, daß ich einen gesehen habe. Aber vielleicht ist es gar keiner gewesen."

„Ich auch", berichtete Pu eilig und überlegte, wie ein Heffalump wohl aussehen könnte.
„Man trifft sie nicht oft", meinte Christoph Robin lässig.
„Nein, jetzt nicht", stimmte Ferkel bei.
„Nicht in dieser Jahreszeit", fügte Pu hinzu.
Dann sprachen sie über etwas anderes, bis es für Pu und Ferkel Zeit war, miteinander nach Hause zu gehen. Zuerst stampften sie den Pfad entlang, der um den Hundert-Morgen-Wald lief, und redeten nicht viel miteinander. Aber als sie zu dem Fluß kamen und sich gegenseitig geholfen hatten, über die Steine zu klettern, und in der Heide wieder nebeneinander trappeln konnten, begannen sie, sich freundschaftlich über dies und das zu unterhalten. Und gerade, als sie zu den sechs Kiefern kamen, sah Pu sich um, ob niemand sonst ihn hörte, und erklärte mit feierlicher Stimme:
„Ferkel, ich habe etwas beschlossen!"
„Was hast du beschlossen, Pu?"
„Ich habe beschlossen, einen Heffalump zu fangen."
Pu nickte einige Male mit dem Kopf, als er das sagte, und wartete darauf, daß Ferkel äußern würde: Wie willst du denn das machen? oder: Pu, das kannst du doch nicht, oder sonst etwas Hilfreiches, aber Ferkel blieb stumm. Es wünschte sich nämlich, daß es selbst daran gedacht hätte.
„Ich tue es bestimmt", versicherte Pu, nachdem er noch eine kleine Weile gewartet hatte, „und zwar mit einer Falle. Aber es muß eine sehr gute Falle sein, und du mußt mir dabei helfen, Ferkel."
„Pu", sagte Ferkel, das jetzt wieder ganz glücklich war, „das tue ich gern." Unternehmend drängelte es: „Wie wollen wir es denn anfangen?" Und Pu erklärte: „Das ist es ja gerade – wie?"

Dann setzten sich beide hin, um die Sache zu überlegen. Pus erster Gedanke war, eine sehr tiefe Grube zu graben, dann würde der Heffalump vorüberkommen und in die Grube fallen und ...
„Warum?“ fragte Ferkel.
„Warum was?“ fragte Pu.
„Warum würde er hineinfallen?“
Pu rieb sich die Schnauze und sagte, der Heffalump würde vielleicht herumspazieren und ein kleines Liedchen singen und zum Himmel aufblicken und darüber nachdenken, warum es nicht regnete, und die tiefe Grube nicht erblicken, bis er schon halb hineingefallen wäre und es keine Rettung mehr gäbe.
Ferkel meinte, dies sei eine sehr gute Falle – aber wenn es bereits regnete?
Pu kratzte sich hinter den Ohren und brummte, daß er daran nicht gedacht hätte, aber dann wurde er wieder vergnügter und sagte, wenn es schon regnete, würde der Heffalump bestimmt zum Himmel blicken, um zu sehen, ob es nicht bald aufhöre, und so würde er die sehr tiefe Grube nicht bemerken, bevor er schon halb hineingefallen sei – und dann würde es zu spät sein.
Ferkel gab zu, jetzt wäre es wohl eine ganz famose Falle.
Pu fühlte sich sehr stolz, als er das hörte, und ihm war, als ob der Heffalump schon so gut wie gefangen wäre. Aber sie mußten noch über eine andere Sache nachdenken, und die war: Wo sollten sie die tiefe Grube graben?
Ferkel meinte, am besten da, wo bereits ein Heffalump sei, nur ungefähr einen Fuß von ihm entfernt.
„Aber dann würde er uns ja graben sehen“, widersprach Pu.
„Nicht, wenn er zum Himmel aufblickt.“

„Aber er würde Argwohn schöpfen, wenn er zufälligerweise wieder hinuntersieht“, sagte Pu. Er überlegte eine lange Zeit und erklärte dann traurig: „Es ist nicht so leicht, wie ich gedacht habe. Ich glaube, darum werden Heffalumps fast nie gefangen.“
„Ja, das wird es sein“, stimmte Ferkel zu.
Sie seufzten beide und standen auf, aber nachdem sie sich ein paar Ginsterstacheln herausgezogen hatten, setzten sie sich wieder, und die ganze Zeit murmelte Pu vor sich hin: „Wenn mir nur etwas einfallen würde ...“ Er war sicher, daß ein sehr kluger Kopf bestimmt einen Heffalump fangen könnte, wenn er nur wüßte, wie er es anzustellen hätte.
„Angenommen“, wandte er sich an Ferkel, „du wolltest mich fangen, was würdest du tun?“
„Nun“, sagte Ferkel, „folgendermaßen: Ich würde eine Falle bauen, und in die Falle würde ich einen Topf mit Honig stellen, dem Geruch würdest du nachgehen und ...“
„Ja, ich würde ihm nachgehen“, rief Pu aufgeregt, „aber sehr vorsichtig, um mich nicht zu verletzen, und wenn ich zu dem Honigtopf käme, würde ich erst den Rand ablecken und so tun, als ob sonst nichts drin wäre, und dann würde ich wieder weggehen und tun, als ob ich über etwas nachdächte, und dann zurückkommen und in der Mitte des Topfes zu lecken beginnen und dann –“
„Ja, ja, das brauchst du mir nicht alles auszumalen. Du wärest eben drin, und ich würde dich fangen. Das erste, was man bedenken muß, ist: Was fressen Heffalumps gern? Ich glaube, Eicheln. Was meinst du? Wir können eine Menge davon ... He, Pu! Du schläfst ja!“
Pu war in einen glücklichen Traum versunken, aber plötzlich wachte er auf und sagte, Honig sei viel verlockender als Eicheln. Ferkel

fand das allerdings nicht und wollte gerade wieder streiten, als ihm einfiel, wenn sie Eicheln in die Falle tun wollten, müßte es sie selber suchen, aber wenn sie sich auf Honig einigten, müßte Pu seinen eigenen hergeben. Darum willigte es ein: „Nun gut, also Honig", gerade, als Pu sagen wollte: „Nun gut, also Eicheln."

„Honig", brummelte Ferkel nachdenklich vor sich hin, als ob es noch nicht sicher sei. „Ich grabe die Grube, wenn du den Honig holst."

„Gut", sagte Pu und stampfte davon.

Sobald er zu Hause war, ging er an seinen Speiseschrank, stellte sich auf einen Stuhl und nahm einen ziemlich gewaltigen Topf vom obersten Brett herunter. Zwar stand in großen Buchstaben HONIG auf diesem Topf geschrieben; doch um sich noch einmal zu vergewissern, nahm Pu das Pergamentpapier ab und schaute genau nach. Ja, es sah wirklich wie Honig aus. „Aber man kann nie wissen", sagte Pu. „Ich erinnere mich, daß mein Onkel mir erzählt hat, daß er Käse von genau derselben Farbe gesehen habe."

Er steckte also seine Schnauze hinein und leckte eine ordentliche Kostprobe fort. „Ja", meinte er, „es ist kein Zweifel, das ist Honig. Ich glaube, Honig bis auf den Grund des Topfes. Natürlich, wenn nicht jemand aus Spaß Käse auf den Grund getan hat. Vielleicht gehe ich noch ein bißchen tiefer ... für den Fall ... daß Heffalumps

Käse ebensowenig lieben wie ich. Ach", seufzte er tief, „ich hatte recht, es ist Honig, Honig bis auf den Grund."
Nachdem er sich also genau vergewissert hatte, trug er den Topf zu Ferkel, und Ferkel sah von dem Boden der sehr tiefen Grube auf

und fragte: „Hast du ihn?" Und Pu antwortete: „Ja. Aber es ist kein voller Topf", und warf ihn zu Ferkel hinunter. Ferkel bestätigte: „Nein, das ist er nicht. Ist das alles, was du übriggelassen

hast?“, und Pu brummte: „Ja.“ Ferkel stellte also den Topf auf den Grund der Grube und kletterte hinaus, und die beiden gingen miteinander heim.
„Gute Nacht, Pu“, sagte Ferkel, als sie zu Pus Haus gekommen waren. „Wir treffen uns um sechs Uhr morgen früh an den Kiefern und sehen, wie viele Heffalumps wir in unserer Falle gefangen haben.“
„Sechs Uhr, Ferkel. Hast du Bindfaden?“
„Nein. Wozu brauchen wir Bindfaden?“
„Um sie nach Hause zu führen.“
„Ach, ich dachte, Heffalumps kämen, wenn man pfeift.“
„Manche ja und manche nicht. Das kann man bei Heffalumps nie wissen. Gute Nacht.“
„Gute Nacht.“
Ferkel drehte sich um und trottete zu seinem Haus Verboten Is, während Pu zu Bett ging.

Einige Stunden später, als sich die Nacht gerade davonstehlen wollte, wachte Pu plötzlich mit einem leeren Gefühl auf. Er hatte dieses leere Gefühl manchmal schon gehabt, und er wußte, was es bedeutete. Er war hungrig. Er ging zum Speiseschrank, stieg auf den Stuhl, langte auf das oberste Brett und fand nichts.
„Das ist aber komisch“, brummte er, „ich weiß, daß ich noch einen Topf Honig da gehabt habe, einen großen Topf, voll bis zum Rand, und HONIG stand darauf geschrieben, damit ich wußte, was darin war. Das ist sehr komisch.“ Unwillig begann er, auf und ab zu gehen und nachzudenken, wo der Topf wohl sein könnte, und murmelte eine kleine Dudelei vor sich hin:

„Es ist wirklich sehr komisch,
ich weiß, ich hatte einen Topf voll Honig,
es stand groß darauf geschrieben,
wo ist der Honig nur geblieben?

Ein herrlich voller Krug,
für viele kleine Mundvoll genug.
Wo ist denn nur mein Honig?
Das ist doch zu komisch."

Dreimal hatte er die Verse vor sich hin gesummt, als ihm plötzlich einfiel, daß er den Honigtopf in die Falle gesetzt hatte, um den Heffalump zu fangen.

„Verflixt", sagte Pu, „das kommt davon, wenn man zu Heffalumps nett sein will." Er ging wieder zu Bett, aber er konnte nicht schlafen.

Je mehr er sich Mühe gab, um so weniger gelang es ihm. Er versuchte Schafe zu zählen, was manchmal ein gutes Mittel zum Einschlafen ist. Als das nichts nützte, fing er an, Heffalumps zu zählen, aber das half noch weniger. Denn jeder Heffalump, den er zählte, holte sich sofort einen Topf Honig und aß ihn auf. Ein paar Minuten war Pu sehr traurig, aber als fünfhundertundsiebenundachtzig Heffalumps sich den Mund leckten und zu sich selber sagten: „Sehr guter Honig, ich habe noch nie besseren gegessen", konnte Pu es nicht länger aushalten. Er sprang aus dem Bett und eilte aus dem Haus, schnurstracks zu den sechs Kiefern.

Die Sonne schlief noch, aber über dem Hundert-Morgen-Wald zeigte eine leise Helligkeit, daß sie bald aufwachen und ihre Decken abwerfen würde. Die hohen Kiefern standen kalt und einsam in der Morgendämmerung, die tiefe Grube sah noch tiefer aus, und Pus

Honigtopf auf ihrem Boden war nur ein geheimnisvolles Etwas und nichts sonst. Doch als er seine Nase näher schob, wurde ihm klar, daß es sich wirklich um Honig handelte, und er begann sich seine Schnauze mit der Zunge zu polieren.
„Verflixt", fauchte Pu, als er sie schließlich in den Topf steckte, „ein Heffalump hat ihn leer gegessen." Aber dann dachte er etwas nach und sagte: „Ach nein, ich bin es ja selber gewesen. Ich hatte das ganz vergessen."
Wahrhaftig, er hatte sich das meiste davon einverleibt, aber eine Kleinigkeit war auf dem Boden des Topfes zurückgeblieben, und er steckte seinen Kopf tief hinein und begann zu lecken ...

Allmählich wachte auch Ferkel auf. Sobald es die Augen geöffnet hatte, seufzte es: „Ach." Dann sagte es tapfer: „Ja" und schließlich noch kühner: „Ja, so ist's recht."
Aber es fühlte sich keineswegs tapfer, denn das Wort, das in seinem Kopf herumspukte, war: „Heffalump".
Wie sah ein Heffalump aus?
War er wild?

Kam er, wenn man pfiff? Und wie kam er?
Hatte er Schweine gern?
Und wenn er Schweine gern hatte, bedeutete es ihm etwas, welche Sorte es war?
Angenommen, er ging mit Schweinen wild um, würde er einen Unterschied machen, wenn das Schwein einen Großvater hatte, der Verboten Isel hieß?
Ferkel konnte keine dieser Fragen beantworten, und es sollte seinen ersten Heffalump ungefähr in einer Stunde sehen.
Natürlich würde Pu bei ihm sein, und es war viel angenehmer, wenn man zu zweien war. Aber angenommen, Heffalumps waren sowohl wild mit Schweinen als auch mit Bären? Wäre es nicht besser, zu sagen, daß es Kopfschmerzen hätte und heute morgen nicht zu den sechs Kiefern kommen könnte?
Aber wenn es nun ein sehr schöner Tag würde und kein Heffalump in der Falle säße, müßte es immerzu hier im Bett liegen und seine Zeit für nichts und wieder nichts vertun. Was sollte es nur machen?
Und dann fiel ihm etwas Kluges ein. Es würde sich sehr leise zu den sechs Kiefern schleichen, vorsichtig zu der Grube gehen, in die Falle blicken und sehen, ob ein Heffalump darin steckte. War einer darin, würde es sich wieder in sein Bett legen, und war keiner darin, würde es sich wie verabredet mit Pu treffen.
Ferkel zog also los. Zuerst glaubte es, daß kein Heffalump in der Falle sein würde, und dann glaubte es, daß doch einer darin sein würde, und als es näher kam, war es seiner Sache sogar ganz sicher, weil es irgend etwas heffalumpen hörte.
„O jemine, o jemine, o jemine“, murmelte Ferkel und beschloß, eilig davonzurennen. Aber da es schon so weit gekommen war, wollte es

doch wissen, wie ein Heffalump aussah. Es kroch also an den Rand der Falle und blickte hinein ...
Die ganze Zeit über hatte sich Winnie-der-Pu bemüht, den Honigtopf von seinem Kopf zu streifen. Doch je mehr er schüttelte, um so fester blieb er sitzen. „Verflixt", knurrte er und „o Hilfe", aber meistens nur „au". Er versuchte, den Topf gegen etwas zu schlagen, aber er konnte ja nicht sehen, wohin er ihn schlagen konnte, und so half das nichts. Er versuchte, aus der Falle zu klettern, aber da er nichts als den Topf sah und selbst davon nicht viel, konnte er keinen Weg finden. Schließlich hob er seinen Kopf mit Topf und allem hoch und stieß einen lauten brüllenden Ton voll Trauer und Verzweiflung aus – und in diesem Augenblick sah Ferkel in die Falle.
„Hilfe, Hilfe", rief Ferkel, „ein Heffalump, ein entsetzlicher Heffalump!" – und sauste davon, so schnell es nur konnte. Verstört

jammerte es immer wieder: „Hilfe, Hilfe, ein heffatzlicher Hentalump, Hilfe, Hilfe, ein hiffsetzlicher Huntalemp.“ Und es hörte nicht mit Schreien und Rennen auf, bis es Christoph Robins Haus erreichte.
„Was ist denn los, Ferkel?“ rief Christoph Robin, der gerade aufstand.
„Heff“, japste Ferkel, so außer Atem, daß es kaum sprechen konnte, „ein Heff ... ein Heff ... ein Heffalump.“
„Wo?“
„Dort“, rief Ferkel und schwenkte seine Pfote.
„Wie sieht er aus?“
„Wie ... wie ... er hat den größten Kopf, den ich je gesehen habe, Christoph Robin. Ein großes, riesiges Ding wie ... wie ... sonst nichts in der Welt. Ein Ungeheuer, wie ein ... ja, ich weiß nicht, wie irgendein großes Ding. Wie ein Topf oder ein Krug.“

„Ich werde es mir mal ansehen“, meinte Christoph Robin und zog sich seine Schuhe an. „Komm mit!“
Wenn Christoph Robin dabei war, fürchtete Ferkel sich nicht, und so gingen sie los.
„Ich höre es. Hörst du es auch?“ fragte Ferkel ängstlich, als sie sich näherten.
„Ja, ich höre etwas“, antwortete Christoph Robin.
Es war Pu, der mit seinem Kopf gegen eine Baumwurzel schlug, die er endlich gefunden hatte.
„Da ist er“, murmelte Ferkel. „Ist er nicht schrecklich?“ Und es hielt Christoph Robins Hand fest.
Plötzlich begann Christoph Robin zu lachen, und er lachte – und er lachte – und er lachte. Und während er sich vor Vergnügen schüttelte, schlug – krach – der sonderbare Heffalump gegen die Baumwurzel. Der Topf ging entzwei, und Pu steckte seinen Kopf heraus.
Da sah Ferkel, was für ein dummes Ferkel es gewesen war. Es schämte sich so, daß es geradewegs nach Hause lief und sich mit Kopfschmerzen ins Bett legte. Christoph Robin und Pu gingen friedlich miteinander zum Frühstück heim.
„Mein guter alter Bär“, schmunzelte Christoph Robin. „Wie lieb ich dich habe.“
„Ich dich auch“, sagte Pu.

I-Aah hat Geburtstag und bekommt zwei Geschenke

I-Aah, der alte graue Esel, stand neben dem Fluß und betrachtete sein Spiegelbild im Wasser.
„Traurig“, sagte er. „Das ist es: traurig.“
Er drehte sich um und ging langsam zwanzig Meter am Fluß hinunter, planschte hinüber und ging langsam auf der anderen Seite zurück. Dann besah er sich wieder im Wasser.
„Wie ich's mir gedacht habe“, schnaufte er. „Von dieser Seite auch nicht besser. Aber niemand kümmert sich darum. Niemand geht das etwas an. Traurig, das ist es.“
Plötzlich hörte er hinter sich das Knacken von Zweigen, und aus dem Gebüsch trat Pu.
„Guten Morgen, I-Aah“, grüßte er.
„Guten Morgen, Pu Bär“, sagte I-Aah düster. „Wenn es ein guter Morgen ist, was ich bezweifle.“
„Warum? Was ist denn los?“
„Nichts, Pu Bär, nichts. Alle können es nicht, und manche tun es nicht. Das ist alles, was zu sagen ist.“
„Was können sie nicht?“ fragte Pu und rieb sich die Nase.
„Vergnügt sein, singen und tanzen. Wir tanzen um den Rosenbusch, husch, husch, husch.“
„Ach“, brummte Pu. Dann dachte er eine Weile nach und fragte:

„Warum Rosenbusch?“
„Das weiß ich nicht“, sagte I-Aah bitter.
Pu setzte sich auf einen großen Stein und versuchte, sich darüber klarzuwerden. Es hörte sich fast wie ein Rätsel an, aber er war kein guter Rätselrater, da er nur ein Bär mit wenig Verstand war. So sang er statt dessen vor sich hin:

„Maikäfer, flieg,
dein Vater ist im Krieg,
die Mutter ist im Brummerland,
Brummerland ist abgebrannt,
Maikäfer, flieg.“

„So ist es recht“, schnaufte I-Aah. „Sing auch noch: ‚Alle meine Entchen schwimmen auf dem See.‘ Amüsier dich nur.“
„Das tu’ ich“, sagte Pu.
„Manche Leute können das“, seufzte I-Aah.
„Warum nicht? Was ist denn los?“
„Ist etwas los?“
„Du scheinst traurig zu sein, I-Aah.“
„Traurig? Warum soll ich traurig sein? Heute ist mein Geburtstag. Der schönste Tag des ganzen Jahres.“
„Dein Geburtstag?“ rief Pu erstaunt.
„Natürlich. Merkst du es nicht? Schau mal die Geschenke an, die ich bekommen habe.“ Er zeigte mit seinem Huf von einer Seite zur anderen. „Sieh den Geburtstagskuchen da und die Lichter und den Kuchen mit dem rosa Zuckerguß.“

Pu sah erst nach rechts und dann nach links.
„Geschenke?“ fragte er. „Geburtstagskuchen? Wo denn?“
„Kannst du sie nicht sehen?“
„Nein“, erklärte Pu.
„Ich auch nicht“, sagte I-Aah, „ich habe nur Spaß gemacht. Haha.“
Pu kratzte sich hinter den Ohren, denn das Ganze verwirrte ihn ziemlich.
„Aber du hast wirklich heute Geburtstag?“ fragte er.
„Ja.“
„Ach, dann gratuliere ich dir herzlich, I-Aah.“
„Danke gleichfalls, Pu Bär.“
„Aber ich habe heute doch gar nicht Geburtstag.“
„Nein, aber ich.“
„Aber du hast doch gesagt: Danke gleichfalls.“
„Ja, warum nicht? Man braucht nicht immer an seinem Geburtstag unglücklich zu sein, nicht wahr?“
„Ach, ich verstehe“, murmelte Pu bedrückt.

„Es ist schlimm genug“, erklärte I-Aah und brach beinahe in Tränen aus, „wo es mir so schlecht geht, keine Geschenke und keinen Kuchen und keine Kerzen, und niemand beachtet mich überhaupt. Aber wenn es jemand anderem auch schlechtgehen sollte . . .“

Das war zuviel für Pu. „Bleib hier!“ rief er I-Aah zu und lief, so schnell er konnte, nach Hause, denn er fühlte, daß er dem armen I-Aah sofort ein Geschenk besorgen müßte. Leider war ihm noch kein richtiges eingefallen.
Vor seiner Haustür fand er Ferkel, das, auf und nieder hüpfend, den Klopfer zu erreichen suchte.
„Hallo, Ferkel“, sagte er.
„Hallo, Pu“, antwortete Ferkel.
„Was machst du denn da?“
„Ich versuche an den Klopfer zu gelangen“, erklärte Ferkel. „Ich kam eben vorbei, um . . .“

„Ich werde es für dich versuchen“, sagte Pu freundlich und langte hinauf und klopfte. „Ich habe eben I-Aah gesehen“, erzählte er, „der arme I-Aah ist sehr traurig, weil er heute Geburtstag hat und keiner daran denkt. Er ist sehr verdrossen darüber – du weißt, wie

I-Aah ist – und da stand er ... Zum Teufel, wie lange dauert es denn, bis einem hier die Tür aufgemacht wird?" Er klopfte noch einmal heftig.
„Aber Pu", lachte Ferkel, „das ist doch deine eigene Tür!"
„Ach", sagte Pu. „Das stimmt, wir wollen hineingehen."
Sie gingen hinein. Das erste, was Pu tat, war, im Geschirrschrank nachzusehen, ob er noch ein kleines Töpfchen Honig übrig hätte. Es war wirklich noch eines da, und so nahm er es herunter.
„Das schenke ich I-Aah", sagte er. „Was willst du ihm schenken?"
„Könnte ich es nicht mitschenken?" fragte Ferkel. „Wir schenken es ihm zusammen."
„Nein", widersprach Pu. „Das wäre kein guter Plan."
„Gut, dann schenke ich ihm einen Ballon. Ich habe noch einen übrig von meiner letzten Kindergesellschaft. Soll ich ihn holen?"
„Ferkel, das ist ein ausgezeichneter Gedanke. Das wird I-Aah aufheitern. Mit einem Luftballon kann man nicht schlechter Laune bleiben."
Ferkel trottete davon, und Pu ging mit seinem Topf voll Honig nach der anderen Richtung.
Es war ein heißer Tag, und er hatte einen langen Weg vor sich. Er hatte noch nicht die Hälfte zurückgelegt, als ihn ein komisches Gefühl beschlich. Es begann auf seiner Nasenspitze, durchrieselte seinen ganzen Körper und endete in den Fußsohlen. Gerade als ob jemand in seinem Inneren mahnte: „Pu, es ist Zeit für einen kleinen Mundvoll."
„Ach, du meine Güte", seufzte Pu, „ich wußte gar nicht, daß es schon so spät ist." Er setzte sich hin und hob den Deckel von dem Honigtopf. „Ein Glück, daß ich ihn mitgenommen habe", mur-

melte er. „Mancher Bär, der an so einem heißen Tag wie heute ausgeht, würde niemals daran gedacht haben, sich etwas mitzunehmen.“ Dann begann er befriedigt zu essen.
Wohin habe ich eigentlich gehen wollen? grübelte er, als er den letzten Honigtropfen ausleckte. Ach ja, zu I-Aah.
Er erhob sich langsam.
Und dann fiel ihm ein, daß er I-Aahs Geburtstagsgeschenk aufgegessen hatte.
„Verflixt!“ brummte er vor sich hin. „Was soll ich jetzt tun? Ich muß ihm doch etwas schenken.“
Er fing an nachzudenken. Eine Zeitlang fiel ihm gar nichts ein. Dann überlegte er: Es ist ein sehr schöner Topf, selbst wenn kein Honig darin ist, und wenn ich ihn sauber auswasche und jemand mir

‚Ein frohes Geburtstagsfest' darauf schreiben würde, könnte I-Aah nützliche Dinge darin aufbewahren ... Und da er gerade an dem Hundert-Morgen-Wald vorbeikam, ging er hinein, um Eule zu besuchen, die dort wohnte.

„Guten Morgen, Eule", grüßte er.

„Guten Morgen, Pu", antwortete Eule.

„Herzlichen Glückwunsch zu I-Aahs Geburtstag", sagte Pu.

„Hat er heute Geburtstag?"

„Was schenkst du ihm, Eule?"

„Wasss schenkssst du ihm, Pu?"

„Ich schenke ihm einen nützlichen Topf, um Sachen darin aufzubewahren, und ich wollte dich fragen, ob du ..."

„Issst esss diessser hier?" fragte die Eule und nahm ihn Pu aus den Pfoten.

„Ja, und ich wollte dich bitten, ob du ..."

„Jemand hat darin Honig aufbewahrt", stellte Eule fest.

„Man kann alles darin aufbewahren", erklärte Pu ernsthaft „Es ist ein sehr brauchbarer Topf, und ich wollte dich bitten, ob du ..."

„Du sssolltessst ‚Ein frohesss Geburtssstagsssfessst‘ darauf schreiben.“
„Darum wollte ich dich gerade bitten“, sagte Pu. „Mit meinen Buchstaben steht’s leider wacklig. Sehr gut, aber sehr wacklig, die Buchstaben stehen immer an der falschen Stelle. Würdest du deshalb für mich ‚Zum Geburtstag‘ darauf schreiben?“
„Ein schöner Topf“, meinte Eule und betrachtete ihn von allen Seiten. „Könnte ich ihn nicht mitschenken? Wir schenken ihn zusssammen.“
„Nein“, widersprach Pu, „das wäre keine gute Idee. Ich will ihn erst auswaschen, und dann kannst du auf ihm schreiben.“
Er wusch den Topf aus und trocknete ihn, während Eule die Bleistiftspitze anleckte und sich den Kopf darüber zerbrach, wie ‚Geburtstag‘ geschrieben würde.
„Kannssst du lesssen, Pu?“ fragte sie ein wenig ängstlich. „Vor meiner Haussstür hängt ein Schild über Klopfen und Klingeln, dasss hat mir Chrissstoph Robin geschrieben. Könntessst du esss lesssen?“
„Christoph Robin hat mir gesagt, was es heißt, und dann habe ich es lesen können.“
„Gut, ich werde dir sssagen, wasss dasss hier heissst, und dann wirssst du esss auch lesssen können.“
Eule schrieb folgendes: „Ein frohs Mohs Gbuchtstach fst.“
Pu sah bewundernd zu.
„Ich schreibe gerade ‚Ein frohesss Geburtssstagsssfessst‘“, sagte Eule leichthin.
„Es ist schön lang“, staunte Pu, der von Eules Schreibkunst stark beeindruckt war.
„In Wirklichkeit schreibe ich natürlich ‚Ein frohesss Geburtssstagsss-

fessst mit einem schönen Gruß von Pu‘. Esss issst klar, dasss man viel Bleistift braucht, um ssso etwasss zu schreiben.“
Während dies alles geschah, war Ferkel zu seinem eigenen Haus gegangen, um den Ballon für I-Aah zu holen. Es drückte ihn ganz fest an sich, damit er nicht weggeweht würde, und lief so schnell es konnte, um noch vor Pu bei I-Aah zu sein. Denn es wollte der erste sein, der ihm ein Geschenk machte, gerade als ob es von allein, ohne daß jemand es ihm sagen mußte, daran gedacht hätte. So lief es immer weiter und dachte daran, wie zufrieden I-Aah sein würde, und achtete nicht auf den Weg. Plötzlich trat es mit einem Fuß in ein Kaninchenloch und fiel flach aufs Gesicht.
Knall!!!

Ferkel lag da und wunderte sich, was geschehen war. Im ersten Augenblick glaubte es, die ganze Welt wäre in die Luft geflogen – und dann vielleicht nur die Wälder – und dann nur es ganz allein – und daß es sich jetzt auf dem Mond oder sonstwo befände und niemals Christoph Robin oder Pu oder I-Aah wiedersehen würde. Und schließlich meinte es: „Nun, selbst auf dem Mond braucht man nicht immer auf dem Gesicht zu liegen“, stand also vorsichtig auf und sah sich um.

Es war noch immer im Wald!
Das ist aber komisch, dachte Ferkel, was hat denn nur so geknallt? Durch bloßes Hinfallen kann ich selbst unmöglich solchen Lärm gemacht haben. Und wo ist mein Ballon? Und was ist das für ein kleiner feuchter Fetzen?
Es war der Ballon!
„Ach herrje", jammerte Ferkel. „Ach herrje, herrje herrjemine!! Jetzt ist es zu spät. Ich kann nicht mehr zurückgehen, und ich hab' auch keinen anderen Ballon, und vielleicht mag I-Aah Ballons gar nicht so sehr."
Es trottete betrübt weiter und kam zu der Stelle am Fluß, wo I-Aah stand, und rief ihm zu:

„Guten Morgen, I-Aah!"
„Guten Morgen, kleines Ferkel", antwortete I-Aah, „wenn es ein guter Morgen ist, was ich bezweifle. Aber das hat natürlich gar nichts zu sagen."
„Die herzlichsten Glückwünsche zu deinem Geburtstag", sagte Ferkel, das jetzt näher herangekommen war.
I-Aah hörte auf, sich im Bach zu betrachten, und wandte sich um, um Ferkel anzustarren.

„Sag das bitte noch einmal“, sagte er.
„Die herzlich ...“
„Wart einen Augenblick.“
Auf drei Beinen balancierend, versuchte er das vierte vorsichtig zu seinem Ohr hinaufzuheben.
„Es glückte mir gestern“, erklärte er, als er zum dritten Mal hingefallen war. „Es ist ganz leicht. Ich tue es, um besser hören zu können ... Da, jetzt hab' ich's! Nun, was wolltest du sagen?“ Er schob sein Ohr mit dem Huf nach vorn.
„Die herzlichsten Glückwünsche zu deinem Geburtstag“, wiederholte Ferkel.
„Du meinst mich?“
„Natürlich, I-Aah.“
„Meinen Geburtstag?“
„Ja.“
„Ich soll einen richtigen Geburtstag haben?“
„Ja, I-Aah, und ich habe dir ein Geschenk mitgebracht.“
I-Aah nahm seinen rechten Huf von seinem rechten Ohr, drehte sich herum und hob unter großen Schwierigkeiten den linken Huf in die Höhe.
„Das mußt du mir auch in das andere Ohr sagen“, bat er.
„Ein Geschenk“, sagte Ferkel sehr laut.
„Meinst du wieder mich?“
„Ja.“
„Immer noch meinen Geburtstag?“
„Natürlich, I-Aah.“
„Ich habe also einen ganz richtigen Geburtstag?“
„Ja, I-Aah, und ich habe dir einen Ballon mitgebracht.“

„Ballon?“ sagte I-Aah. „Hast du wirklich Ballon gesagt? Eins von den großen, farbigen Dingern, die man aufbläst? Fröhlichkeit, Gesang und Tanz, einmal hin und einmal her.“
„Ja, aber ich fürchte ... ich bin sehr traurig, I-Aah ... aber als ich herlief, um ihn dir zu bringen, bin ich hingefallen.“
„Armer, kleiner Kerl, was für ein Pech! Du bist sicher zu schnell gelaufen. Du hast dir doch nicht weh getan?“
„Nein, aber ich ... ich ... ach, I-Aah, der Ballon ist mir dabei entzweigegangen.“

Ein großes Schweigen folgte.
„Mein Ballon?“ fragte I-Aah endlich.
Ferkel nickte.
„Mein Geburtstags-Ballon?“
„Ja, I-Aah“, schluchzte Ferkel und hielt ihm den kleinen feuchten Fetzen hin. „Hier ist er. Mit ... mit meinem herzlichsten Glückwunsch.“
„Ist er das?“ fragte I-Aah ein wenig überrascht.
Ferkel nickte.
„Mein Geschenk?“
Ferkel nickte abermals.
„Der Ballon?“

„Ja."
„Besten Dank, Ferkel", sagte I-Aah. „Du wirst es mir doch nicht übelnehmen, wenn ich etwas frage?" fuhr er fort. „Aber was für eine Farbe hatte der Ballon, als er noch ... als er noch ein Ballon war?"
„Rot."
„Das habe ich mir auch gedacht ... rot", murmelte I-Aah vor sich hin. „Meine Lieblingsfarbe ... Wie groß war er?"
„Ungefähr so groß wie ich."
„Das habe ich mir auch gerade gedacht ... Ungefähr so groß wie du ... Meine Lieblingsgröße. Nun ja."
Ferkel war sehr unglücklich und wußte nicht, was es tun sollte. Es öffnete den Mund, um etwas zu sagen, und entschloß sich dann, es doch lieber zu lassen, als es ein Geräusch von der anderen Seite des Flusses hörte. Pu war gekommen.
„Ich wünsche dir ein frohes Geburtstagsfest", rief Pu und vergaß, daß er das schon einmal gesagt hatte.
„Danke, Pu, es findet schon statt", sagte I-Aah verdrießlich.
„Ich hab' dir ein kleines Geschenk mitgebracht", verkündete Pu aufgeregt.
„Hab' schon eins bekommen", wehrte I-Aah ab.

Pu war durch den Fluß zu I-Aah hinübergeplanscht, und Ferkel saß ein wenig abseits, stützte den Kopf in die Pfoten und schluchzte leise vor sich hin.
„Es ist ein sehr brauchbarer Topf", erklärte Pu, „hier ist er. Und darauf steht geschrieben ‚Ein frohes Geburtstagsfest mit einem schönen Gruß von Pu'. Das bedeutet das ganze Geschriebene hier. Du kannst Sachen hineintun. Da!"
Als I-Aah den Topf sah, wurde er ganz aufgeregt.
„Ach", rief er, „ich glaube, mein Ballon paßt gerade in den Topf."
„Ach nein, I-Aah", wehrte Pu ab, „Ballons sind viel zu groß, um in Töpfe zu passen. Was man mit einem Ballon machen muß, ist, den Ballon festzuhalten . . ."
„Nicht meinen", widersprach I-Aah stolz, „sieh nur, Ferkel!" Und als sich Ferkel voller Kummer umsah, hob I-Aah den Ballon mit seinen Zähnen auf und legte ihn sorgfältig in den Topf, zog ihn heraus, breitete ihn auf die Erde und hob ihn wieder auf und tat ihn sorgfältig zurück.
„Er geht doch hinein", staunte Pu.
„Er geht hinein und hinaus, wie geschmiert", stellte Ferkel befriedigt fest.
„Ich bin sehr glücklich, daß ich daran gedacht habe, dir einen so nützlichen Topf zu schenken, um etwas hineinzutun", sagte Pu stolz.
„Und ich bin sehr glücklich", fügte Ferkel hinzu, „daß ich daran gedacht habe, dir etwas zu schenken, was man in diesen nützlichen Topf tun kann."
I-Aah hörte gar nicht zu. Er nahm den Ballon heraus und tat ihn wieder hinein und war so selig, wie er nur sein konnte.

„Und ich, habe ich ihm denn nichts geschenkt?“ fragte Christoph Robin traurig.
„Natürlich“, sagte ich. „Du hast ihm eine kleine – erinnerst du dich nicht? – eine kleine ... eine kleine ...“
„Ich habe ihm eine Schachtel mit bunten Bleistiften geschenkt, um Sachen anzumalen.“
„Ja, das war es.“
„Warum habe ich es ihm denn nicht schon frühmorgens gegeben?“
„Du hattest so viel mit der Gesellschaft für ihn zu tun. Er bekam einen Kuchen mit Zuckerguß und drei Kerzen, und sein Name war in rosa Zuckerguß draufgeschrieben, und ...“
„Ja, jetzt erinnere ich mich“, sagte Christoph Robin.

Känga und Klein-Ruh kommen in den Wald, und Ferkel nimmt ein Bad

Niemand schien zu wissen, woher sie kamen, aber sie waren auf einmal im Wald: Känga und Klein-Ruh. Als Pu-der-Bär Christoph Robin fragte: „Wie sind sie denn hierher gekommen?", erklärte Christoph Robin: „Auf die gewöhnliche Weise, wenn du verstehst, was ich damit meine, mein Lieber." Und Pu, der es nicht verstand, sagte: „Ach!" Dann nickte er zweimal mit dem Kopf und wiederholte: „Auf die gewöhnliche Weise. Ach so!" Darauf ging er zu seinem Freund Ferkel, um zu sehen, was der davon hielt; bei Ferkel fand er Kaninchen, und so sprachen sie alle drei darüber.

„Was mir nicht gefällt", erklärte Kaninchen, „ist dies: Hier sind wir – du, Pu, und du, Ferkel, und ich – und plötzlich ..."

„Und I-Aah", sagte Pu.

„Und I-Aah – und dann ganz plötzlich ..."

„Und Eule", sagte Pu.

„Und Eule – und dann ganz plötzlich ..."

„Ja, und I-Aah", sagte Pu. „Ich hatte ihn ganz vergessen."

„Hier sind wir alle", sagte Kaninchen sehr langsam und sorgfältig, „wir – alle, und plötzlich wachen wir eines Morgens auf, und was ist geschehen? Wir finden ein fremdes Tier zwischen uns. Ein Tier, von dem wir früher nie gehört haben. Ein Tier, das seine Familie mit sich in der Tasche herumträgt! Angenommen, ich würde meine Fa-

milie in der Tasche mit mir herumtragen, wie viele Taschen müßte ich dann haben?"
„Sechzehn", rechnete Ferkel.
„Nein, siebzehn müßten es sein", sagte Kaninchen. „Und dazu noch eine für das Taschentuch, zusammen also achtzehn. Achtzehn Taschen in einem Anzug! Dazu habe ich keine Zeit."
Hierauf herrschte ein langes und nachdenkliches Schweigen. Schließlich meldete sich Pu, der gründlich nachgedacht hatte.
„Ich bekomme fünfzehn heraus."
„Was?" fragte Kaninchen.
„Fünfzehn."
„Fünfzehn was?"
„Kaninchenfamilienmitglieder."
„Was soll denn mit ihnen sein?"
Pu rieb sich die Schnauze und antwortete, er sei der Meinung, Kaninchen hätte von seiner Familie gesprochen.
„Habe ich das getan?" fragte Kaninchen ganz obenhin.
„Ja, du hast gesagt ..."
„Ach, kümmere dich nicht darum, Pu", brummte Ferkel ungeduldig. „Die Frage ist, was wir mit Känga tun sollen."
„Ach so", sagte Pu.
„Das beste würde folgendes sein", schlug Kaninchen vor: „Wir sollten Klein-Ruh stehlen und verstecken, und dann, wenn Känga fragt: Wo ist Klein-Ruh? sagen wir: Aha!"
„Aha", wiederholte Pu übend, „aha, aha! Natürlich", fuhr er fort, „können wir auch aha sagen, ohne Klein-Ruh gestohlen zu haben."
„Pu", erklärte Kaninchen freundlich, „du hast überhaupt keinen Verstand."

„Das weiß ich“, gab Pu demütig zu.
„Wir sagen aha, damit Känga sich klar wird, daß wir wissen, wo Klein-Ruh steckt. ‚Aha‘ bedeutet: Wir werden dir sagen, wo Klein-Ruh ist, wenn du uns versprichst, aus dem Wald fortzugehen und nicht wiederzukommen. Redet jetzt nicht, während ich nachdenke!“
Pu ging in eine Ecke und versuchte, im richtigen Ton aha zu sagen. Manchmal kam es ihm vor, daß es wirklich das bedeutete, was Kaninchen meinte, und manchmal schien es ihm, daß es das nicht tat. „Ich glaube, es ist bloß Übung“, meinte er. „Ich möchte gern wissen, ob Känga auch üben muß, um es zu verstehen.“
„Nur auf eins kommt es noch an“, quiekste Ferkel etwas zappelig. „Ich habe mit Christoph Robin gesprochen, und er hat gesagt, daß ein Känga im allgemeinen als eines der wilderen Tiere angesehen wird. Gewöhnlich habe ich keine Furcht vor anderen Tieren, aber es ist wohlbekannt, daß eines der wilderen Tiere, wenn es seiner Jungen beraubt wird, so wild wird wie zwei der wilderen Tiere. In diesem Fall ist es vielleicht sehr dumm, aha zu sagen.“
„Ferkel“, sagte Kaninchen, nahm einen Bleistift und leckte die Spitze an, „du hast keinen Mut.“

„Es ist sehr schwer, tapfer zu sein, wenn man zu den kleinen Tieren gehört“, erklärte Ferkel verzagt.
Kaninchen hatte begonnen, geschäftig zu schreiben, blickte auf und sagte:
„Weil du ein sehr kleines Tier bist, wirst du uns in dem vor uns liegenden Abenteuer sehr nützlich sein.“
Ferkel wurde bei dem Gedanken, daß es nützlich sein würde, so aufgeregt, daß es völlig vergaß, weiter Angst zu haben, und als Kaninchen ihm erklärte, daß Kängas nur während der Wintermonate wild, aber zu anderen Zeiten von zärtlicher Veranlagung wären, konnte es kaum stillsitzen, so war es darauf erpicht, seinen Freunden sofort behilflich zu sein.
„Und was wird aus mir?“ fragte Pu traurig. „Darf ich mich nicht nützlich machen?“
„Ärgere dich nicht, Pu“, meinte Ferkel tröstend. „Vielleicht brauchen wir dich ein andermal.“
„Ohne Pu“, verkündete Kaninchen feierlich und spitzte dabei seinen Bleistift an, „ohne Pu ist das ganze Abenteuer unmöglich.“
„Ach“, rief Ferkel und versuchte, nicht enttäuscht auszusehen. Pu ging in eine Ecke des Zimmers und sagte stolz zu sich selbst: „Ohne mich unmöglich! So ein Bär bin ich.“

„Jetzt hört mal alle zu", gebot Kaninchen, als es mit Schreiben fertig war, und Pu und Ferkel setzten sich hin und lauschten eifrig mit offenen Mündern, als Kaninchen ihnen folgendes vorlas:

Plan, Klein-Ruh zu fangen

1. Allgemeine Bemerkungen: Känga läuft schneller als wir alle, sogar schneller als ich.
2. Allgemeinere Bemerkungen: Känga läßt Klein-Ruh nie aus den Augen, außer, wenn sie das Kind sicher in ihren Beutel eingeknöpft hat.
3. Darum, wenn wir Klein-Ruh fangen wollen, müssen wir einen guten Anlauf haben, denn Känga läuft schneller als irgend jemand von uns, sogar schneller als ich. (Siehe Nummer eins.)
4. Ein Gedanke: Wenn Ruh aus Kängas Tasche heraus und Ferkel in die Tasche hineinspränge, würde Känga den Unterschied gar nicht merken, weil Ferkel ein sehr kleines Tier ist.
5. Wie Ruh.
6. Aber Känga müßte zuerst in eine andere Richtung blicken, damit sie nicht sieht, daß Ferkel hineinspringt.
7. Siehe Nummer zwei.
8. Ein anderer Gedanke: Wenn Pu sich sehr aufgeregt mit ihr unterhielte, könnte sie vielleicht einmal woanders hinsehen.
9. Und dann könnte ich mit Ruh fortlaufen.
10. Schnell.
11. Und Känga würde den Unterschied erst später wahrnehmen.

Kaninchen las das so stolz vor, daß für eine kleine Weile niemand etwas sagte. Aber schließlich brachte Ferkel, das andauernd seinen

Mund geöffnet und geschlossen hatte, ohne einen Laut hervorzubringen, es fertig, sehr heiser zu fragen:
„Und was geschieht später?"
„Wie meinst du das?"
„Wenn Känga den Unterschied bemerkt?"
„Dann sagen wir alle ‚aha'."
„Wir alle drei?"
„Ja."
„Nun, was ist denn los, Ferkel?"
„Nichts, so lange wir alle drei es sagen", meinte Ferkel. „Solange wir es alle drei sagen, ist es mir gleich, aber ich möchte nicht gern allein ‚aha' sagen. Es würde sich nicht halb so gut anhören. Übrigens", fügte es hinzu, „ist das, was ihr von den Wintermonaten gesagt habt, auch ganz bestimmt wahr?"
„Von den Wintermonaten?"
„Ja, daß sie nur in den Wintermonaten wild sind."
„Ach ja, ja, das stimmt. Nun, Pu? Hast du verstanden, was du zu tun hast?"
„Nein", antwortete Pu, „noch nicht. Was soll ich tun?"
„Du mußt dich mit Känga so eifrig unterhalten, daß sie nichts anderes merkt."
„Worüber denn?"
„Worüber es dir Spaß macht."
„Meinst du, ich soll ihr ein Gedicht aufsagen oder so etwas Ähnliches?"
„Ja, ja", stimmte Ferkel zu, „das ist das Richtige. Famos. Nun kommt mit."
So zogen sie los, um Känga zu suchen.

Känga und Ruh verbrachten einen ruhigen Nachmittag auf einer trockenen, sonnigen Stelle im Wald. Klein-Ruh übte ganz leichte Sprünge im Sand und fiel in Mauselöcher hinein und kletterte wieder heraus, und Känga lief aufgeregt hinter ihr her und sagte: „Nur noch einen Sprung, mein Liebling, dann müssen wir nach Hause gehen."
Wer anders als Pu aber kam in diesem Augenblick den Hügel hinaufgestampft ...

„Guten Tag, Känga."
„Guten Tag, Pu."
„Sieh nur, wie ich springen kann", quiekte Ruh und fiel wieder in ein neues Mauseloch.
„Tag, Ruh. Wie geht es dir, kleines Mädchen?"
„Wir wollen gerade nach Hause gehen", erklärte Känga. „Auf Wiedersehen, Pu."
Kaninchen und Ferkel, die jetzt von der anderen Seite den Hügel heraufkamen, sagten „Guten Abend" und „Wie geht es, Ruh?", und Ruh bat sie, ihren Sprüngen zuzusehen.

Känga sah auch zu ...
„Ach, Känga", sagte Pu, nachdem ihm Kaninchen zweimal zugeblinzelt hatte, „ich weiß zwar nicht, ob du dich überhaupt für Gedichte interessierst ..."
„Kaum", wehrte Känga ab. „Ruh, mein Liebling, nur noch einen Sprung, dann müssen wir nach Hause."
Ein kurzes Schweigen entstand, während Ruh wieder in ein Mauseloch fiel.
„Los!" flüsterte Kaninchen Pu hinter seiner Pfote zu.
„Da wir gerade von der Dichtkunst sprechen", fing Pu noch einmal an, „weißt du, ich habe eben ein kleines Gedicht gemacht, als ich hier gerade vorbeikam. Es fängt so an ..."
„Ach! Wie seltsam", meinte Känga. „Aber jetzt, Ruh, mein Liebling ..."
„Dir wird das Gedicht sicherlich gefallen", sagte Kaninchen.
„Es wird dir bestimmt sehr gefallen", versicherte Ferkel.

„Du mußt nur aufmerksam zuhören“, sagte Kaninchen.
„Damit du nichts überhörst“, erklärte Ferkel.
„Ja, ja“, murmelte Känga, aber sie sah noch immer auf ihre kleine Ruh.
„Wie geht es denn, Pu?“ fragte Kaninchen.
Pu hüstelte leicht und begann:

„Verse, geschrieben von einem Bären
mit sehr wenig Verstand.

Am Montag, wenn die Sonne heiß,
fällt es mir auf, daß ich nicht weiß:
Ist es nun wahr oder ist es nicht,
wie eigentlich ist mein Gedicht?

Am Dienstag, wenn es hagelt und schneit,
tut mir das Ganze fast schon leid.
Ach, wüßt' ich nur, ist's wie oder was,
ist das nun dies oder dies nun das?

Am Mittwoch ist der Himmel blau,
dann weiß ich es schon recht genau,
es ist mir deutlich ganz und gar,
daß es nicht der, sondern jener war.

Am Donnerstag, bei Frost und Schnee,
tut wieder mir die Frage weh:
Sind es nun die oder die gewesen,
wo denn, zum Teufel, kann man das lesen?

Am Freitag ...“

„Ja, ja, so ist es“, unterbrach ihn Känga und wartete nicht ab, was am Freitag geschehen würde. „Nur noch einen Sprung, mein Liebling, dann müssen wir wirklich gehen.“
Kaninchen stieß Pu heimlich an.
„Da wir gerade vom Dichten sprechen“, sagte Pu schnell, „hast du vielleicht den Baum da drüben bemerkt?“
„Wo?“ fragte Känga. „Jetzt aber, Ruh ...“
„Da, gerade dort drüben“, rief Pu und zeigte auf etwas hinter Kängas Rücken.
„Nein“, sagte Känga. „Spring rasch herein, mein Liebling, wir müssen nach Hause gehen.“
„Du solltest dir den Baum dort drüben mal ansehen“, meinte Kaninchen. „Soll ich dich hineinheben, Ruh?“
„Ich kann von hier aus einen Vogel in seinen Zweigen sehen. Oder ist es etwa ein Fisch?“ fragte Pu.
„Man müßte diesen Vogel von hier aus sehen können“, erklärte Kaninchen. „Jedenfalls, wenn es kein Fisch ist.“
„Es ist kein Fisch, es ist ein Vogel“, meinte Ferkel.
„Ja, ich glaube, das stimmt“, sagte Kaninchen.
„Ist es ein Star oder eine Drossel?“ wollte Pu wissen.
„Ja, das ist die Frage“, sagte Kaninchen. „Ist es eine Drossel oder ein Star?“
Endlich wandte Känga den Kopf, um selbst nachzusehen. In diesem Augenblick sagte Kaninchen laut: „Spring hinein, Ruh!“, und Ferkel sprang in Kängas Tasche, und Kaninchen raste mit Ruh in den Pfoten davon, so schnell es nur konnte.
„Nanu, wo ist denn Kaninchen?“ staunte Känga und wandte sich wieder um. „Sitzt du auch richtig, Ruh, mein Liebling?“

Ferkel ließ aus der Tiefe von Kängas Beutel einen quietschenden Ruh-Laut hören.
„Kaninchen mußte fort", erklärte Pu. „Ich glaube, es ist ihm irgend etwas eingefallen, wo es hingehen und dringend etwas nachsehen muß."
„Und Ferkel?"
„Ich glaube, Ferkel hat zur selben Zeit auch an etwas gedacht. Ganz plötzlich."
„Nun, wir müssen auf jeden Fall nach Hause", sagte Känga. „Auf Wiedersehen, Pu." Und in drei großen Sprüngen war sie fort.
Pu sah ihr nach.
Ich wünschte, ich könnte auch so springen, dachte er sehnsüchtig. Nun ja, mancher kann es, und mancher kann es nicht. So ist es nun einmal ...
Aber es gab durchaus Augenblicke, wo Ferkel gewünscht hätte, daß Känga es nicht könnte. Schon oft hatte es sich danach gesehnt, ein Vogel zu sein, wenn es einen langen Weg durch den Wald nach Hause gehen mußte, aber jetzt dachte es jämmerlich auf dem Grund von Kängas Tasche:
Wenn das Fliegen ist, wird es mir niemals wirklich gefallen.

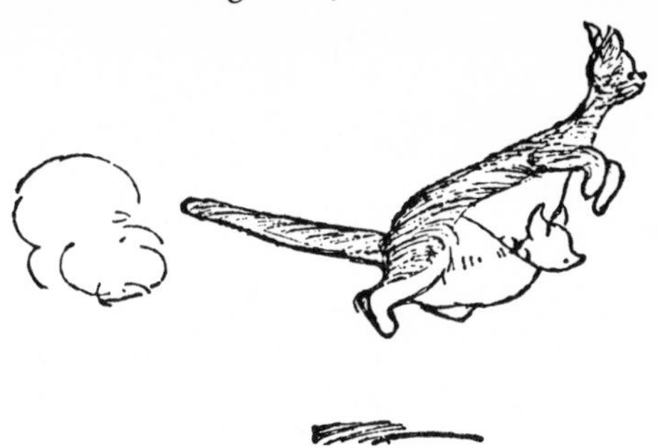

Wenn es in die Luft flog, jammerte es „Uuuuuuuu!“, und wenn es wieder hinunterkam, stöhnte es „Au!“ Und es wiederholte den ganzen Weg bis zu Kängas Haus „Uuuuuu – au, uuuuuu – au, uuuuuuuu – au!“

Natürlich sah Känga, sobald sie ihren Beutel aufknöpfte, was geschehen war. Aber sie war nur einen Augenblick in Sorge, denn sie wußte genau, Christoph Robin würde nicht zulassen, daß Ruh irgend etwas Böses geschah, und so nahm sie sich vor: Wenn die ihren Scherz mit mir treiben, so will ich auch meinen Spaß mit ihnen haben.

„Komm jetzt, Ruh, Liebling“, sagte sie, als sie Ferkel aus der Tasche nahm. „Du mußt zu Bett.“

„Aha“, antwortete Ferkel, so gut es dies nach der erschrecklichen Reise noch fertig brachte. Aber es war kein sehr gutes Aha, und Känga schien nicht zu verstehen, was es bedeutete.

„Zuerst das Bad“, ordnete sie heiter an.

„Aha“, murmelte Ferkel noch einmal leise und sah sich ängstlich nach den anderen um. Aber die waren nicht da. Kaninchen spielte gerade mit Klein-Ruh in seinem eigenen Haus und fand sie von Minute zu Minute netter, und Pu, der beschlossen hatte, wie Känga zu sein, stand noch immer auf dem Sandhügel im Wald und übte Sprünge.

„Ich weiß gar nicht, ob es nicht ein guter Gedanke wäre, heute abend einmal kalt zu baden", meinte Känga mit nachdenklicher Stimme. „Möchtest du gern kalt baden, Ruh, mein Liebling?"
Ferkel, das Bäder niemals hatte leiden können, bebte unter einem langen, empörten Schauder und sagte so tapfer, wie es nur konnte: „Känga, es ist Zeit, offen zu sprechen."
„Komische kleine Ruh", lachte Känga, als sie das Badewasser einlaufen ließ.
„Ich bin nicht Ruh", erklärte Ferkel laut, „ich bin Ferkel."

„Ja, Liebling, ja", stimmte Känga beruhigend zu, „und du machst sogar Ferkels Stimme nach! Wie klug meine kleine Ruh ist." Sie nahm ein großes Stück gelbe Seife aus dem Schrank. „Was wird sie jetzt noch angeben?"
„Siehst du es denn nicht?" schrie Ferkel. „Hast du denn keine Augen im Kopf?"
„Ich sehe dich ja an, Ruh, mein Liebling", versicherte Känga ziemlich

streng. „Und du weißt doch, was ich dir gestern über Gesichterschneiden gesagt habe. Wenn du weiter Ferkel nachmachst, wirst du später wirklich wie ein Ferkel aussehen – und denk nur daran, wie leid dir das bestimmt tun wird. Nun ab ins Bad, daß ich nicht noch einmal mit dir darüber zu reden brauche!"

Bevor es wußte, wo es war, befand sich Ferkel im Wasser, und Känga schrubbte es heftig mit einem großen Lappen voll Seifenschaum ab.

„Au!" schrie Ferkel. „Laß mich 'raus! Ich bin Ferkel!"

„Mach den Mund nicht auf, Liebling, sonst bekommst du Seife hin-

ein", mahnte Känga. „Siehst du? Was habe ich dir gesagt!"

„Du ... du ... das hast du mit Absicht getan", sprudelte Ferkel hervor, sobald es wieder sprechen konnte – und bekam zufällig wieder einen Lappen voll Seifenschaum in die Schnauze.

„So ist es gut, mein Kind, sprich lieber gar nicht", sagte Känga, und Ferkel wurde aus dem Bad herausgehoben und mit einem Handtuch trockengerieben.

„Jetzt noch die Medizin", verkündete Känga, „und dann ins Bett."

„W-w-was für eine Medizin?“ fragte Ferkel zitternd.
„Damit du groß und stark wirst, mein Liebling. Du willst doch nicht so klein und schwach bleiben wie Ferkel, nicht wahr? Also komm!“
In diesem Augenblick wurde an die Tür geklopft.
„Herein“, rief Känga, und Christoph Robin trat ein.
„Christoph Robin, Christoph Robin!“ schrie Ferkel. „Kläre Känga

auf, wer ich bin. Sie bildet sich ein, daß ich Ruh wäre. Ich bin aber nicht Ruh, nicht wahr?“
Christoph Robin betrachtete Ferkel sorgfältig und schüttelte den Kopf.
„Du kannst nicht Ruh sein“, sagte er, „weil ich gerade gesehen habe, wie Ruh bei Kaninchen herumspielt.“
„Ach!“ staunte Känga. „Sieh einmal an! Sieh einmal an! Nein, aber – sich so zu irren!“

„Da hast du's!“ empörte sich Ferkel. „Ich habe dir doch gleich gesagt, daß ich Ferkel bin.“
Christoph Robin schüttelte wieder den Kopf.
„Ach nein, Ferkel bist du auch nicht“, meinte er. „Ferkel kenne ich sehr gut, es hat eine ganz andere Farbe.“
Ferkel wollte gerade erzählen, es sähe nur so aus, weil es eben gebadet worden wäre, aber dann dachte es, daß es dies besser nicht an die große Glocke hängen sollte, und als es seinen Mund öffnete, um etwas anderes zu sagen, steckte ihm Känga den Medizinlöffel hinein, klopfte ihm auf den Rücken und behauptete, es schmecke wirklich ganz gut, wenn man sich erst ein bißchen daran gewöhnt hätte.
„Ich habe gewußt, daß es nicht Ferkel war“, versicherte Känga. „Aber wer kann es denn sein?“
„Vielleicht ist es irgendein Verwandter von Pu“, meinte Christoph Robin. „Vielleicht ein Neffe oder ein Onkel oder sonst etwas?“
Känga stimmte zu, daß es vielleicht so wäre, und fand, daß man ihm irgendeinen Namen geben müßte.
„Vielleicht können wir ihn Putel nennnen“, überlegte Christoph Robin, „Heinz Putel.“
Und gerade, als sie sich dafür entschieden hatten, wand sich Heinz Putel aus Kängas Armen und sprang auf die Erde. Zu seiner großen Freude hatte Christoph Robin die Türe offen gelassen. Niemals ist Ferkel Heinz Putel so schnell gerannt wie damals, und es hörte nicht mit Rennen auf, bis es in der Nähe seines Hauses war. Aber als ihm nur noch knapp hundert Meter bis dahin fehlten, hielt es an und rollte sich den Rest des Weges, damit es seine eigene nette, angenehme Farbe wiederbekam ...

Känga und Ruh blieben also im Wald. Und jeden Dienstag war Ruh bei ihrem guten Freund Kaninchen, und jeden Dienstag war Känga bei ihrem guten Freund Pu und lehrte ihn Sprünge machen, und jeden Dienstag war Ferkel bei seinem guten Freund Christoph Robin, und so waren sie wieder alle glücklich und zufrieden.

Christoph Robin unternimmt eine Expedition zum Nordpol

Eines schönen Morgens stampfte Pu bis zum Rand des Waldes, um zu sehen, ob sein Freund Christoph Robin sich überhaupt noch für Bären interessierte. Beim Frühstück, einer einfachen Mahlzeit von Marmelade, leicht über ein paar Honigwaben gestrichen, hatte er sich plötzlich ein neues Lied ausgedacht. Es begann:

„Hussa und hei, der Bär soll leben . . ."

Als er so weit gekommen war, kratzte er sich den Kopf und dachte: Das ist ein sehr guter Anfang für ein Lied, aber wie soll die nächste Zeile lauten? Er versuchte, zwei- oder dreimal „Hussa" zu singen, aber es half nichts. Vielleicht wäre es besser, dachte er, wenn ich „Hissa" sänge. Er sang „Hissa", aber das half auch nichts. Nun, dachte er, dann werde ich die erste Zeile zweimal singen, und vielleicht, wenn ich sie sehr schnell singe, werde ich die dritte und vierte Zeile singen, bevor ich Zeit habe, darüber nachzudenken, und dann wird es ein gutes Lied werden.

„Hussa und hei, der Bär soll leben!
Hussa und hei, der Bär soll leben!
Es ist mir gleich, ob's regnet oder schneit.
Ich hab 'ne Menge Honig vor der Schnauze und bin gefeit.

Es ist mir gleich, ob's schneit oder taut,
wenn meine Pfote tief in den Honig haut.
Hussa der Bär,
hussa der Pu!
Er nimmt einen kleinen Mundvoll ab und zu.“

Das Lied gefiel ihm so gut, daß er es den ganzen Weg bis zum Waldrand fröhlich dahinträllerte. Schließlich dachte er: Wenn ich noch länger singe, wird es Zeit sein, einen kleinen Mundvoll zu mir zu nehmen, und dann wird die letzte Zeile wahr werden. Na, fein. Befriedigt summte er nur noch die letzte Zeile vor sich hin.
Christoph Robin saß vor seinem Haus und zog sich seine hohen Stiefel an. Sobald Pu das sah, wußte er, daß ein Abenteuer vor der Tür stand. Er rieb sich mit dem Rücken seiner Pfote den Honig von der Schnauze und pustete sich auf, so gut er konnte, damit er wie ein Bär aussah, der zu allem bereit ist.
„Guten Morgen, Christoph Robin“, rief er.
„Hallo, Pu Bär. Ich bekomme meinen Stiefel nicht an.“
„Das ist schlimm“, sagte Pu.
„Würdest du vielleicht so gut sein und dich gegen mich stemmen? Sonst falle ich hintenüber, wenn ich zu sehr ziehe.“

Pu setzte sich hin, grub die Hacken in den Boden und stemmte sich, so gut er konnte, gegen Christoph Robins Rücken, und Christoph Robin stemmte sich, so gut er konnte, gegen Pus Rücken und zog und zog, bis er seine Stiefel anhatte.
„Das wäre das“, brummte Pu. „Was tun wir jetzt?“
„Wir begeben uns alle auf eine Expedition“, erklärte Christoph Robin, als er aufstand und sich abbürstete. „Vielen Dank, Pu.“
„Wir begeben uns auf eine Expiletion?“ fragte Pu eifrig. „Ich glaube, ich bin noch nie auf einer gewesen. Wohin gehen wir denn auf dieser Expiletion?“
„Expedition heißt es, dummer alter Bär. Ex – mit einem X.“
„Ja, ja“, sagte Pu. „Ich weiß.“ Aber das stimmte natürlich nicht.
„Wir werden den Nordpol entdecken.“
„Ach“, staunte Pu. „Was ist denn der Nordpfohl?“
„Nordpol heißt es, dummer alter Bär. Er schreibt sich mit einem L und ist etwas, das man entdecken muß“, antwortete Christoph Robin ziemlich obenhin, da er es selbst nicht genau wußte.
„Ach so!“ meinte Pu. „Sind Bären gute Entdecker?“
„Natürlich, und Kaninchen und Känga und ihr alle. Es ist eine Expedition. Das ist nämlich das, was eine Expedition bedeutet. Alle marschieren in einer lange Reihe hintereinander. Sag den anderen, daß sie sich fertigmachen sollen, während ich nachsehe, ob mein Gewehr in Ordnung ist. Wir müssen auch Proviant mitnehmen.“
„Was mitnehmen?“
„Sachen zum Essen.“
„Ach so.“ Pu strahlte glücklich. „Bitte auch Honig, nicht wahr? Gut – ich werde allen Bescheid sagen.“ Er stampfte befriedigt fort. Zuallererst traf er Kaninchen.

„Hallo, Kaninchen“, sagte er, „bist du es?“
„Wir wollen mal so tun, als ob ich es nicht wäre, und dann sehen, was geschieht“, antwortete Kaninchen.
„Ich habe eine Botschaft für dich.“
„Ich werde sie bestellen.“
„Wir gehen alle auf eine Expiletion mit Christoph Robin.“
„Was ist es, wenn wir darauf sind?“
„Ich glaube, es ist eine Art Schiff“, meinte Pu.
„Ach so . . .“
„Ja. Und dann werden wir einen Pfohl oder so was entdecken. Oder ist es vielleicht ein Pfahl? Jedenfalls, wir werden es entdecken.“
„Meinst du?“
„Ja, und dann sollen wir Pro-Sachen zum Essen mitbringen, für den Fall, daß wir unterwegs Hunger bekommen. Ich gehe jetzt zu Ferkel. Sage bitte Känga Bescheid.“

Er verließ Kaninchen und eilte weiter.
Ferkel saß vor der Tür seines Hauses. Es blies glücklich und zufrieden eine Pusteblume ab und überlegte sich, ob es von Herzen, mit Schmerzen oder niemals sein würde. Es hatte gerade entdeckt, daß es niemals sein würde, und versuchte sich zu erinnern, was „es" wäre, und hoffte, daß „es" nicht irgend etwas Hübsches wäre, als Pu herankam.

„Ach, da bist du ja, Ferkel", schnaufte Pu aufgeregt. „Wir gehen auf eine Expiletion, wir alle, und nehmen Sachen zum Essen mit, um etwas zu entdecken."
„Um was zu entdecken?" fragte Ferkel ängstlich.
„Ach, irgendwas."
„Doch nichts Wildes?"
„Christoph Robin hat nichts von wild gesagt. Er hat nur gesagt, daß es ein X hätte."
„Vor Nix habe ich keine Angst", erklärte Ferkel ernst, „aber vor Klauen und Zähnen fürchte ich mich. Doch wenn Christoph Robin mitkommt, habe ich überhaupt keine Bange."

Eine kleine Weile später standen alle auf einem Hügel im Wald bereit, und die Expedition setzte sich in Bewegung. Zuerst kamen

Christoph Robin und Kaninchen, dann Ferkel und Pu, dann Känga mit Ruh in der Tasche und Eule, dann I-Aah und am Ende in einer langen Reihe Kaninchenfreunde und -verwandte.

„Ich habe sie nicht eingeladen“, erklärte Kaninchen lässig. „Sie sind einfach mitgekommen. Das tun sie immer. Sie können am Ende des Zuges marschieren, hinter I-Aah.“

„Na ja, wenn man mich fragt, muß ich sagen, daß ich das Ganze recht verwirrend finde", schniefte I-Aah. „Ich wollte gar nicht mit auf die Expo-, wie Pu sagt. Ich bin nur aus Gefälligkeit mitgekommen. Aber jetzt bin ich da; und wenn ich das Ende sein soll, dann soll man mich auch das Ende sein lassen. Aber immer, wenn ich mich etwas hinsetzen und ausruhen will, muß ich ein halbes Dutzend kleine Kaninchenfreunde und -verwandte von mir abschütteln, und dann ist es keine Expo-, wenn es überhaupt eine ist, dann ist es einfach ein verwirrendes Gekrabbel. Na ja, ich habe gesagt, was ich zu sagen habe."

„Ich verstehe, wasss I-Aah damit sssagen will", stimmte Eule bei. „Wenn man mich fragt ..."

„Ich frage niemanden", murrte I-Aah, „ich habe es nur allen erzählt. Wir können nach dem Nordpol suchen, oder wir können ‚Hier sammeln wir Nüsse und Maien' spielen, und es endet doch immer in einem Ameisenhaufen. Na ja, mir ist alles gleich."

„Los!" rief Christoph Robin von der Spitze des Zuges.

„Los!" riefen Pu und Ferkel.

„Losss!" rief Eule.

„Wir brechen auf", fiepste Kaninchen. „Ich muß gehen."

Es stellte sich mit Christoph Robin an die Spitze der Expedition.

„Schön", sagte I-Aah. „Jetzt marschieren wir. Aber macht mir bitte keine Vorwürfe."

Sie setzten sich also in Bewegung, um den Pol zu entdecken. Unterwegs schwatzten sie über alles mögliche, außer Pu, der ein neues Lied dichtete.

„Das ist der erste Vers", sagte er zu Ferkel, als er damit fertig war.

„Der erste Vers von was?"

„Von meinem Lied.“
„Von welchem Lied?“
„Von diesem.“
„Von welchem?“
„Wenn du aufpaßt, Ferkel, wirst du es hören.“
„Woher weißt du, daß ich nicht aufpasse?“
Pu konnte nichts darauf antworten und begann zu singen:

„Wir sind aufgebrochen, den Pol zu entdecken,
nun müssen wir emsig die Beine strecken.
Wir werden ihn finden, hat man gesagt,
als ich Eule und Ferkel und Kaninchen gefragt,
I-Aah, Christoph Robin und Pu
und Kaninchens Verwandte auch noch dazu.
Doch wo der Pol ist, das wissen wir nicht,
darum singt Pu der Bär dieses schöne Gedicht.“

„Pst!“ sagte Christoph Robin und wandte sich zu Pu. „Wir kommen gerade zu einem gefährlichen Platz.“
„Pst!“ sagte Pu und wandte sich schnell zu Ferkel.
„Pst!“ sagte Ferkel zu Känga.
„Pst!“ sagte Känga zu Eule, während Ruh ein paarmal sehr leise „Pst!“ vor sich hin zischelte.
„Pssst!“ sagte Eule zu I-Aah.
„Pst!“ sagte I-Aah mit einer fürchterlichen Stimme zu allen Kaninchenfreunden und -verwandten, und „Pst!“ wiederholten sie hastig die ganze Reihe hinunter, bis „Pst!“ den letzten von allen erreichte.

Sie waren zu einem kleinen Fluß gekommen, der sich zwischen hohen Felsenufern hindurchwand, und Christoph Robin hatte sofort erkannt, wie gefährlich er war.
„Das ist ein Ort für einen Hinterhalt“, verkündete er.
„Was für ein Halt?“ fragte Pu.
„Ein Hinterhalt ist eine Art Überraschung“, erklärte Ferkel.
„Wenn plötzlich viele Leute hervorspringen, dann issst esss ein Hinterhalt“, fügte Eule hinzu.
Nun wußte Pu, was ein Hinterhalt war.
Sie kletterten sehr vorsichtig stromaufwärts von Fels zu Fels, und nachdem sie ein kleines Stück hinter sich gebracht hatten, kamen sie zu einer Stelle, wo sich beide Ufer verbreiterten, so daß auf jeder Seite des Wassers ein Grasstreifen lag, auf dem man sich hinsetzen und verschnaufen konnte. Sobald Christoph Robin das sah, rief er: „Halt!“ – und alle ließen sich nieder und ruhten sich aus.
„Ich finde, daß wir jetzt unseren ganzen Proviant aufessen sollten,

damit wir nicht mehr so viel zu tragen haben", meinte Christoph Robin.
„Was sollen wir essen?" fragte Pu.
„Alles, was wir mitgebracht haben", antwortete Ferkel und machte sich an die Arbeit.
„Das ist ein guter Gedanke", sagte Pu und machte sich auch an die Arbeit.
„Habt ihr alle etwas?" fragte Christoph Robin mit vollem Mund.
„Alle außer mir", klagte I-Aah und sah sich in seiner melancholischen Weise um, „wie gewöhnlich! Ja, j-a. Ich hoffe, niemand von euch sitzt zufällig auf einer Distel?"
„Doch, ich glaube, ich", sagte Pu. „Au!" Er stand auf und blickte

hinter sich. „Ja, ich habe auf einer gesessen. Das habe ich mir gleich gedacht."
„Danke, Pu." I-Aah ging zu Pus Platz hin und begann zu essen. „Disteln werden nicht besser, wenn man darauf sitzt", fuhr er emsig kauend fort, „dann sind sie nämlich nicht mehr frisch. Daran könntet

ihr alle ein andermal denken. Ja, ja, ein bißchen nachdenken, ein bißchen Rücksicht auf andere Leute nehmen, das wäre gut."
Sobald er mit Essen fertig war, flüsterte Christoph Robin mit Kaninchen, und Kaninchen sagte: „Ja, ja, gern", und sie gingen ein Stückchen stromaufwärts miteinander.
„Ich wollte nicht, daß es die anderen hören", erklärte Christoph Robin.
„Natürlich", stimmte Kaninchen zu und fühlte sich sehr wichtig.
„Es ist nämlich ... es ist nämlich, ich weiß nicht, Kaninchen ... aber ich glaube, du weißt doch, wie der Nordpol eigentlich aussieht?"
„Ja", murmelte Kaninchen und strich sich seinen Schnurrbart, „und jetzt fragst du mich?"
„Ich habe es mal gewußt, ich habe es nur vergessen", bemerkte Christoph Robin lässig.
„Komisch", sagte Kaninchen, „aber ich habe es auch vergessen, obgleich ich es schon einmal gewußt habe."
„Ich glaube", meinte Christoph Robin, „ein Pol ist eine Stange, und dann ist weiter nichts da."
Sie gingen zu den anderen zurück. Ferkel lag auf dem Rücken und schlief friedlich. Ruh wusch sich Gesicht und Pfoten im Fluß, während Känga jedem stolz erklärte, es sei das erste Mal, daß Ruh sich selbst das Gesicht wasche, und Eule erzählte ihr eine interessante Anekdote voll langer Wörter wie Enzyklopädie und Rhododendron, aber Känga hörte nicht zu.
„Ich halte nichts von dieser Wascherei", brummte I-Aah. „Dieser moderne Hinter-den-Ohren-Blödsinn. Was hältst du davon, Pu?"
„Nun", sagte Pu, „ich finde ..."

Aber wir werden nie erfahren, was Pu fand, denn sie hörten ein plötzliches Quieken von Ruh, ein Plätschern und einen lauten Schreckensschrei von Känga.
„Das kommt bestimmt vom Waschen“, stellte I-Aah fest.
„Ruh ist ins Wasser gefallen“, rief Kaninchen und eilte mit Christoph Robin zur Rettung herbei.
„Seht nur, wie ich schwimme“, piepste Ruh aus der Mitte des Tümpels und wurde schnell in einen Wasserfall hineingetrieben, der zum nächsten Teich führte.
„Geht es noch, mein Liebling?“ rief Känga ängstlich.
„Ja“, rief Ruh. „Seht nur, wie ich schw . . .“, und dann wurde sie mit einem neuen Wasserfall zu einem anderen Teich getrieben.
Jeder versuchte zu helfen. Ferkel war plötzlich ganz wach geworden, hüpfte auf und nieder und schrie: „Ach je, ach je!“ Eule setzte

auseinander, daß in Fällen von zeitweiligem Ertrinken das wichtigste sei, den Kopf über Wasser zu halten. Känga sprang am Ufer entlang und rief: „Kannst du wirklich noch, Liebling?“, und Ruh antwortete von dem Teich, in dem sie sich gerade befand: „Seht nur, wie ich schwimme!“ I-Aah hatte sich umgewandt und seinen Schwanz in den Teich gehängt, in den Ruh zuerst gefallen war, und, dem Wasser den Rücken kehrend, brummte er ruhig vor sich hin: „Diese dumme Wascherei! Aber halte dich nur an meinem Schwanz fest, kleine Ruh, dann ist alles in Ordnung“, und Christoph Robin und Kaninchen liefen schnell an I-Aah vorbei und riefen den anderen etwas zu.

„Paß auf, Ruh, ich komme gleich“, rief Christoph Robin.

„Einer muß weiter unten etwas über den Fluß legen“, kommandierte Kaninchen.

Pu holte etwas. Zwei Teiche flußabwärts stand er mit einer langen Stange in den Pfoten, und Känga kam herbei und faßte das andere Ende an. Sie hielten die Stange über den flachen Teil des Teiches, und Ruh, die noch immer stolz vor sich hin plapperte: „Seht nur, wie ich schwimme“, trieb dagegen an und kletterte heraus.

„Habt ihr gesehen, wie ich geschwommen bin?“ piepste sie aufgeregt, als Känga sie ausschalt und abrieb. „Pu, hast du gesehen, wie ich geschwommen bin? Das nennt man schwimmen! Kaninchen, hast du gesehen, was ich getan habe? Ich bin geschwommen! Hallo, Ferkel, was glaubst du wohl, was ich getan habe? Ich bin geschwommen! Christoph Robin, hast du gesehen, wie ich geschw ...“

Aber Christoph Robin hörte nicht zu. Er sah auf Pu.

„Pu“, sagte er, „wo hast du diese Stange her?“

Pu sah die Stange an, die er in den Händen hielt.

„Ich hatte sie gerade liegen sehen“, antwortete er. „Ich dachte, daß wir sie vielleicht brauchen könnten, und da habe ich sie aufgehoben.“

„Pu“, erklärte Robin feierlich, „die Expedition ist vorüber. Du hast den Nordpol gefunden.“

„Ach!“ staunte Pu.

I-Aah hielt den Schwanz noch immer ins Wasser, als alle zu ihm zurückkamen.

„Sagt Ruh, sie soll sich beeilen“, jammerte er, „mein Schwanz wird ganz kalt. Ich möchte es ja nicht erwähnen, ich sage es eben nur. Ich will nicht klagen, aber es ist so, mein Schwanz wird kalt.“

„Hier bin ich!“ piepste Ruh.

„Ach, da bist du ja.“

„Hast du gesehen, wie ich geschwommen bin?“

I-Aah zog seinen Schwanz aus dem Wasser und schwenkte ihn hin und her.

„Wie ich mir gedacht habe, ja, ja, gar kein Gefühl mehr darin. Ganz taub geworden. Nun, wenn es niemanden angeht, wird es wohl so in Ordnung sein.“

„Ach, du armer, armer I-Aah. Ich trockne ihn dir ab", rief Christoph Robin, nahm sein Taschentuch und rieb den Schwanz ab.
„Vielen Dank, Christoph Robin. Du bist der einzige, der etwas von Schwänzen zu verstehen scheint. Die anderen denken einfach nicht – das ist es, was mit manchen heute los ist. Sie haben keine Einbildungskraft. Ein Schwanz ist für sie kein Schwanz, es ist nur irgend etwas, was jemandem am Rücken herunterhängt."
„Ärgere dich nicht darüber, I-Aah", versuchte Christoph Robin ihn zu beschwichtigen und rieb kräftig. „Ist es jetzt besser?"
„Es fühlt sich jetzt wieder wie ein Schwanz an. Es gehört wieder zu einem, wenn du verstehst, was das heißt."
„Hallo, I-Aah, wie geht's?" erkundigte sich Pu und kam mit seiner Stange zu ihnen heran.
„Hallo, Pu. Danke für die Nachfrage, aber ich glaube, ich werde ihn schon in ein paar Tagen richtig brauchen können."
„Was brauchen können?"
„Das, worüber wir sprechen."
„Ich habe über gar nichts gesprochen."
„Das ist natürlich mein Fehler. Ich habe geglaubt, du hättest gesagt, wie leid es dir tue, daß mein Schwanz sich ganz abgestorben anfühlt, und ob du nichts dagegen tun könntest."
„Nein", widersprach Pu, „das bin ich nicht gewesen." Er dachte eine kleine Weile nach und schlug dann hilfreich vor: „Vielleicht war es jemand anderes?"
„Nun, danke ihm jedenfalls, wenn du ihn siehst."
Pu sah Christoph Robin ängstlich an.
„Pu hat den Nordpol entdeckt", erzählte Christoph Robin. „Ist das nicht herrlich?"

Pu blickte bescheiden auf seine Fußspitzen.
„Wonach wir gesucht haben."
„Ja", sagte Pu.
„Ach!" staunte I-Aah. „Nun, wenigstens hat es nicht geregnet", fügte er hinzu.
Sie steckten den Pfahl in die Erde, und Christoph Robin befestigte einen Zettel an ihm, auf dem stand:

Dann gingen sie alle wieder heim. Und ich glaube – aber ich weiß es nicht ganz genau –, Ruh bekam ein heißes Bad und wurde sofort ins Bett gebracht. Pu lief zu seinem eigenen Haus, und weil er sehr stolz auf seine Tat war, nahm er einen kleinen Mundvoll zur Stärkung zu sich.

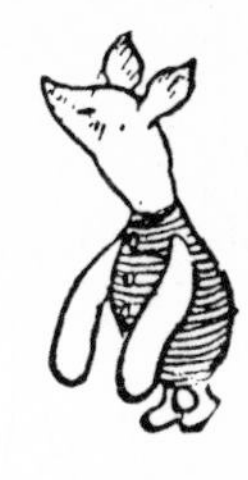

Ferkel ist völlig von Wasser umgeben

Es regnete und regnete und regnete. Ferkel sagte zu sich selbst, daß es noch nie in seinem ganzen Leben – und es war weiß Gott schon drei Jahre alt – oder waren es gar vier? – so viel Regen gesehen hätte. Tage und Nächte und Tage.

Wenn ich nur, dachte Ferkel, als es aus dem Fenster sah, bei Pu oder Christoph Robin oder Kaninchen gewesen wäre, als es zu regnen anfing, dann hätte ich die ganze Zeit hindurch Gesellschaft gehabt, anstatt hier allein zu sitzen und nichts zu tun zu haben, außer darauf zu warten, daß es zu regnen aufhört. Und es stellte sich vor, wie es bei Pu sein würde, wenn es fragte: „Hast du je solchen Regen gesehen, Pu?" und Pu brummelte: „Ist es nicht schrecklich, Ferkel?" Und Ferkel sagte: „Ich möchte nur wissen, wie es Christoph Robin geht", und Pu antwortete: „Ich glaube, das arme alte Kaninchen wird jetzt schon ganz unter Wasser stehen." Es wäre hübsch gewesen, sich so zu unterhalten, und es hatte überhaupt keinen Zweck, so etwas wie diese Flut zu ertragen, wenn man das Erlebnis mit niemandem teilen konnte.

Es war wirklich sehr aufregend. Die schmalen, trockenen Gräben, in denen Ferkel so oft herumgeschnüffelt hatte, waren Flüsse geworden, die kleinen Bäche, in denen es geplanscht hatte, wuchsen zu Flüssen, und die Flüsse, an deren steilen Ufern alle so fröhlich gespielt hatten,

Verboten
..is

waren aus ihren Betten getreten und nahmen so viel Platz ein, daß Ferkel sich zu fragen begann, ob sie nicht bald bis an sein Bett rauschen würden.
„Es ist ein bißchen beängstigend für ein kleines Tier, so völlig vom Wasser umgeben zu sein“, sagte es zu sich. „Christoph Robin und Pu können sich durch Klettern retten, und Känga kann durch Springen entfliehen und Kaninchen durch Graben und Eule durch Fliegen, und I-Aah könnte auch entkommen, indem er ... indem er ein lautes Geschrei von sich gibt, bis er gerettet wird, aber ich — ich sitze nun hier, vom Wasser umgeben, und kann nichts tun.“

Es fuhr fort zu regnen, und jeden Tag stieg die Flut etwas höher, bis sie beinahe zu Ferkels Fenster hinaufreichte, und noch immer hatte das arme Ferkel nichts tun können.
Pu, dachte es bei sich, Pu hat nicht viel Verstand, aber ihm geschieht nie etwas Böses. Er macht lauter dumme Geschichten, aber zum Schluß gehen sie doch immer gut aus. Und Eule, Eule hat überhaupt keinen Verstand, aber sie weiß viel. Sie würde schon wissen, was sie tun müßte, wenn sie vom Wasser umgeben wäre. Und Kaninchen, Kaninchen hat nichts aus Büchern gelernt, aber es versteht immer, sich gescheite Pläne auszudenken. Und Känga, die ist nicht klug, das ist sie wahrhaftig nicht, aber sie würde sich so um Ruh ängstigen, daß ihr etwas Gutes einfallen würde, ohne lange nachdenken zu müssen. Und I-Aah! Dem geht es immer so schlecht, daß ihm ein bißchen mehr oder weniger gar nichts ausmacht. Aber ich möchte wissen, was Christoph Robin tun würde.
Und plötzlich erinnerte Ferkel sich an eine Geschichte, die ihm Christoph Robin erzählt hatte, von einem Mann, der auf einer ver-

lassenen Insel gewesen war, einen Zettel in eine Flasche geschoben und sie dann ins Meer geworfen hatte. Und Ferkel dachte, wenn es etwas in eine Flasche stecken und sie dann ins Meer werfen würde, käme vielleicht jemand und könnte es retten.

Ferkel zog sich vom Fenster zurück und begann, sein Haus überall, wo noch kein Wasser war, abzusuchen, und endlich fand es einen Bleistift und ein kleines Stück trockenes Papier und eine Flasche mit Korken. Zufrieden schrieb es auf die eine Seite des Papiers:

HIELFE!
FRKL (ISCH)

und auf die andere Seite:

ISCH
BIN'S, FRKL, HIELFE, HIELFE!

Dann steckte es das Papier in die Flasche und verschloß sie, so fest es nur ging, und lehnte sich, so gut es ohne hinauszufallen möglich war, aus dem Fenster und warf die Flasche so weit hinaus, wie seine

Kräfte es zuließen. Nach kurzer Zeit sah Ferkel sie auf dem Wasser herumtanzen und blickte ihr nach, wie sie davonschwamm, bis seine Augen wehtaten. Manchmal glaubte es, daß es seine Flasche, und manchmal glaubte es, daß es nur ein kleiner Strudel sei, und plötzlich

wußte es, daß es die Flasche nie wieder sehen würde, daß es aber alles getan habe, um sich zu retten.
Jetzt, dachte Ferkel, wird jemand anderes etwas zu tun haben, und ich hoffe, der Jemand wird es bald tun. Denn wenn der Jemand es nicht tut, werde ich schwimmen müssen, was ich nicht kann. Ich hoffe, daß der Jemand es bald tun wird. Und dann stieß es einen großen Seufzer aus und sagte: „Ich wünschte, Pu wäre hier. Zu zweien ist alles nur halb so schlimm."

Als es zu regnen begann, war Pu fest eingeschlafen. Es regnete und regnete und regnete, und er schlief, und er schlief, und er schlief. Er hatte einen ermüdenden Tag hinter sich. Weil er so stolz darauf war, den Nordpol entdeckt zu haben, hatte er Christoph Robin gefragt, ob es nicht noch andere Pole gäbe, die ein Bär von kleinem Verstand erforschen könnte.
„Es gibt einen Südpol", hatte Christoph Robin gesagt, „und ich glaube, es gibt einen Ostpol und einen Westpol, obwohl die Leute nicht gern darüber sprechen."
Als er das gehört hatte, war Pu sehr aufgeregt und schlug vor, daß sie nun auch noch eine Expedition zur Entdeckung des Ostpols machen sollten, aber Christoph Robin wollte etwas anderes mit Känga unternehmen. So machte sich Pu auf den Weg, um den Ostpol allein aufzustöbern. Ob er ihn nun entdeckt hat oder nicht, das weiß er selber nicht. Er war so müde, als er nach Hause kam, daß er mitten beim Abendbrot, nachdem er etwas länger als eine halbe Stunde hintereinander gegessen hatte, auf seinem Stuhl einschlief und schlief und schlief und schlief. Plötzlich träumte er, er befände sich am Ostpol, und es war ein sehr kalter Pol, einer von den käl-

testen, einer mit Eis und Schnee. Er hatte einen Bienenstock gefunden, um darin zu übernachten, aber es war nicht genug Platz darin für seine Beine, so daß er sie draußen lassen mußte, und wilde Wuschel, solche, die den Ostpol bewohnten, kamen und knabberten ihm den Pelz von seinen Beinen ab, um damit die Nester für ihre Jungen zu belegen. Und je mehr sie knabberten, desto kälter wurden seine Beine, bis er plötzlich mit einem Schrei aufwachte, und da sah er es: Seine Füße standen im Wasser, und Wasser war überall, wohin er blickte.
Er planschte zur Tür und sah hinaus.
„Es ist ernst", stellte er fest, „ich muß mich in Sicherheit bringen."
Er nahm seinen größten Honigtopf unter den Arm und floh damit

auf einen breiten Ast seines Baumes hoch über dem Wasser, und dann kletterte er wieder hinunter und entkam mit einem weiteren Vorratstopf.
Und als die Flucht beendet war, saß Pu auf dem dicken Ast, bau-

melte mit den Beinen, und neben ihm standen zehn Töpfe voll Honig ...
Zwei Tage später saß Pu auf seinem Ast und baumelte mit den Beinen, ünd neben ihm standen vier Töpfe voll Honig ...
Drei Tage später saß Pu auf seinem Ast, baumelte mit den Beinen, und neben ihm stand ein Topf voll Honig ...
Vier Tage später saß Pu ...
Als an diesem Morgen Ferkels Hilferuf an ihm vorüberschwamm, stürzte sich Pu mit dem lauten Schrei „Honig!“ ins Wasser, ergriff die Flasche und kämpfte sich zu seinem Baum zurück.
„Pfui Deixel“, brummte er, als er die Flasche geöffnet hatte, „für nichts und wieder nichts so naß zu werden! Was soll ich mit diesem Stück Papier anfangen?“
Er zog den Zettel heraus und sah ihn sich an.
„Es ist eine Botschaft“, sagte er sich, „bestimmt eine Botschaft. Und dieser Buchstabe ist ein P oder vielleicht ein F, nein, doch ein P, und das ist das, und das ist das, und P bedeutet Pu, also ist es eine sehr wichtige Botschaft für mich, aber ich kann sie nicht lesen. Ich muß Christoph Robin oder Eule oder Ferkel finden, einen von diesen klugen Köpfen, die Sachen lesen können. Die werden mir sagen, was diese Botschaft bedeutet. Nur, ich kann ja nicht schwimmen ... Pfui Deixel!“
Schließlich fiel ihm etwas ein – und für einen kleinen Bären mit wenig Verstand war das eine recht beachtliche Leistung. Er stellte nämlich fest:
„Wenn eine Flasche schwimmen kann, dann kann ein Krug auch schwimmen, und wenn ein Krug schwimmt, kann ich mich auf ihn draufsetzen, wenn es ein sehr großer Krug ist.“

Er holte also seinen größten Krug hervor und stöpselte ihn fest zu. „Alle Schiffe müssen einen Namen haben", sagte er, „ich werde meines ‚Der schwimmende Bär' nennen." Mit diesen Worten ließ er sein Boot ins Wasser fallen und sprang ihm nach.

Eine kleine Weile lang wußten Pu und „Der schwimmende Bär" nicht genau, wer von ihnen oben schwimmen sollte, aber nachdem sie

zwei oder drei verschiedene Lagen probiert hatten, entschieden sie, daß „Der schwimmende Bär" unten schwamm und Pu triumphierend rittlings auf ihm saß und heftig mit den Füßen paddelte.

Christoph Robin wohnte auf dem höchsten Hügel im Wald. Es regnete und regnete, aber das Wasser konnte nicht bis zu ihm herankommen. Es war sehr hübsch, auf die Täler und auf das viele Wasser hinunterzusehen, aber es regnete so heftig, daß er die meiste Zeit nur dasaß und nachdachte. Jeden Morgen ging er mit seinem Regenschirm hinaus und steckte einen Stock an die Stelle, bis zu der das

Wasser kam, und am nächsten Morgen ging er hinaus und konnte den Stock nicht mehr finden, und dann steckte er einen anderen Stock an die Stelle, bis zu der das Wasser inzwischen gekommen war, und jeden Tag hatte er einen kürzeren Weg zu gehen als am vorhergehenden Morgen. Am Beginn des fünften Tages sah er, daß das Wasser ihn von allen Seiten umschloß, und wußte, daß er sich zum ersten Mal in seinem Leben auf einer richtigen Insel befand. Das war natürlich sehr aufregend.

An diesem Morgen kam Eule über das Wasser geflogen, um ihren Freund Christoph Robin zu besuchen und „Wie geht esss dir?“ zu fragen.
„Eule“, sagte Christoph Robin, „macht das nicht Spaß? Ich bin auf einer Insel.“
„Die atmosssphärischen Konditionen sssind kürzlich recht ungünssstig gewesssen“, zischte Eule.
„Was ist ungünstig gewesen?“
„Esss hat geregnet“, setzte ihm Eule auseinander.
„Ja“, sagte Christoph Robin, „das stimmt.“
„Der Wasssersssstand hat eine unvorhergesssehene Höhe erreicht.“
„Der was?“
„Allesss steht unter Wasssser“, belehrte ihn Eule.
„Ja“, bestätigte Christoph Robin, „das stimmt.“
„Trotzdem werden die Ausssichten für bessseresss Wetter schnellssstensss günssstiger. In jedem Moment . . .“
„Hast du Pu gesehen?“
„Nein. In jedem Moment . . .“
„Hoffentlich geht es ihm gut“, seufzte Christoph Robin. „Ich möchte

gern wissen, wie es ihm geht. Hoffentlich ist Ferkel bei ihm. Glaubst du, daß es ihm gutgeht, Eule?"
„Hoffentlich. In jedem Moment ..."
„Sieh doch bitte nach ihm, Eule, denn Pu hat nicht viel Verstand, und vielleicht stellt er etwas Dummes an. Ich habe ihn so lieb, Eule. Hast du mich verstanden?"
„Ja, ja", sagte Eule. „Ich werde nachsssehen und komme direkt wieder zurück." Eilig flog sie davon.
Nach kurzer Zeit erschien sie wieder.
„Pu issst nicht da", sagte sie.
„Nicht da?"
„Er issst dagewesssen. Er hat vor der Tür auf einem Assst ssseinesss Baumesss mit neun Töpfen Honig gesssesssen, aber jetzt issst er nicht mehr da."
„Ach, Pu", schrie Christoph Robin, „wo bist du?"
„Hier bin ich", hörte er es hinter sich brummen.
„Pu!"
Sie fielen einander in die Arme.
„Wie bist du denn hierhergekommen?" fragte Christoph Robin, als er wieder sprechen konnte.
„Auf meinem Schiff", antwortete Pu stolz. „Mir ist eine sehr wichtige Botschaft in einer Flasche zugesandt worden, und da ich etwas Wasser in meinen Augen hatte, konnte ich sie nicht lesen und habe sie auf meinem Schiff zu dir gebracht." Mit diesen Worten übergab er Christoph Robin die Mitteilung aus der Flasche.
„Aber das ist ja von Ferkel!" rief Christoph Robin.
„Steht denn gar nichts von Pu drin?" fragte der Bär und sah ihm über die Schulter. „Sind das nicht lauter Ps?"

„Nein, mein lieber Pu, das sind lauter Fs“, antwortete Christoph Robin und las die Botschaft laut vor.
„Ach, dann bedeuten diese Fs Ferkel? Ich glaubte, es wären Pus.“
„Wir müssen Ferkel sofort retten! Ich hatte gehofft, es wäre bei dir, Pu. – Eule, könntest du es nicht auf deinem Rücken retten?“
„Ich glaube nicht“, sagte Eule, nachdem sie ernsthaft nachgedacht hatte. „Esss issst zweifelhaft, ob die dazu notwendige Rückenmussskulatur . . .“
„Dann fliege doch bitte zu ihm hin und sage ihm, daß Hilfe naht. Pu und ich werden uns eine Rettung ausdenken und uns, so schnell wir können, einschalten. Ach, fang nicht erst zu reden an, Eule, flieg schnell zu ihm hin!“
„Nun, Pu, wo ist dein Boot?“ fragte Christoph Robin, als Eule wortlos davongeflogen war, obgleich sie gern noch manches eingewendet hätte.
„Ich muß dir sagen, daß es kein gewöhnliches Schiff ist“, erklärte Pu, als sie miteinander zum Rand der Insel gingen. „Manchmal ist es ein Schiff, und manchmal ist es mehr ein Unfall. Es kommt darauf an.“
„Auf was kommt es an?“
„Ob ich auf oder unter ihm sitze.“
„Ach so! Wo ist es denn?“

„Da!“ sagte Pu und zeigte stolz auf den „Schwimmenden Bär“.

Es war nicht das, was Christoph Robin als Schiff erwartet hatte, und je länger er es ansah, desto mehr dachte er, was für ein tapferer und kluger Bär Pu war, und je mehr er darüber nachdachte, um so bescheidener sah Pu an seiner Nase herunter und versuchte so zu tun, als ob er nichts damit zu tun hätte.
„Für uns beide ist es zu klein", seufzte Christoph Robin traurig.
„Mit Ferkel sind wir drei."
„Dann wird es noch kleiner. Ach, Pu Bär, was sollen wir nun tun?"
Und dann sagte dieser Bär, Pu Bär, Winnie-der-Pu, der Freund Ferkels, der Kamerad Kaninchens, der Entdecker des Pols, der Tröster I-Aahs, der Schwanzfinder – also Pu –, sagte etwas so Kluges, daß Christoph Robin ihn nur mit offenem Mund anstarren konnte und sich fragte, ob das wirklich der Bär mit sehr wenig Verstand sei, den er so lange gekannt und geliebt hatte.
„Wir könnten in deinem Regenschirm hinfahren", sagte Pu.
„?"
„Wir könnten in deinem Regenschirm hinfahren", wiederholte Pu.
„!!!!"

Ja, plötzlich fand Christoph Robin, daß sie es wirklich könnten. Er öffnete seinen Regenschirm und steckte ihn mit der Spitze nach unten ins Wasser. Er schwamm, aber er wackelte sehr. Pu stieg hinein. Er wollte gerade sagen, daß es gut ginge, als er sah, daß es doch nicht ganz gut ging, und, nach einem kurzen Trunk, den er sich eigentlich nicht gewünscht hatte, watete er wieder zu Christoph zurück. Dann stiegen beide miteinander ein, und es wackelte nicht mehr.
„Ich werde dieses Boot ‚Pus Verstand' nennen", sagte Christoph Robin, und „Pus Verstand" segelte in südwestlicher Richtung anmutig schaukelnd davon.

Ferkels Freude war nicht zu beschreiben, als schließlich das Schiff in Sicht kam. Noch Jahre später dachte es gern daran, wie es wäh-

rend der schrecklichen Flut in sehr großer Gefahr gewesen war. In wahrer Gefahr hatte es aber nur in der letzten halben Stunde seiner Gefangenschaft geschwebt, als Eule, die zu seiner Tröstung gekommen war, auf einem Zweig seines Baumes saß und ihm eine schrecklich lange Geschichte von einer Tante erzählte, die einst aus Versehen ein Seemöwenei gelegt hatte, und die Geschichte ging immer weiter, genau so wie dieser Satz, und Ferkel, das von seinem Fenster aus ziemlich hoffnungslos zuhörte, schlief leise ein und glitt natürlich langsam aus dem Fenster hinaus, bis es nur noch an seinen Zehen über Wasser hing. Glücklicherweise weckte es in diesem Augenblick ein Schrei von Eule auf, die eben zu dem wichtigsten Teil ihrer Geschichte gekommen war und erzählte, was ihre Tante gesagt hatte, und Ferkel konnte sich wieder in Sicherheit bringen und murmeln: „Ach, wie interessant, hat sie das wirklich getan?“, als – nun, jeder kann sich seine Freude vorstellen, als es plötzlich das tapfere Schiff „Pus Verstand“ mit dem Kapitän Christoph Robin und dem ersten Maat P. Bär über die See zu seiner Rettung herannahen sah.
Und das war wirklich das Ende der Geschichte, denn alle waren so müde, daß zunächst eine große Ruhepause notwendig war.

Christoph Robin gibt eine Gesellschaft für Pu

Eines Tages, als die Sonne zum Wald zurückgekehrt war und Maienluft mit sich brachte, und alle Bäche des Waldes glücklich plätscherten, da sie wieder in ihren eigenen netten Betten flossen, die kleinen Tümpel von dem Leben träumten, das sie gesehen, und den großen Taten, die sie getan hatten, und der Kuckuck in der Wärme und Stille des Waldes sorgfältig seine Stimme übte und horchte, ob sie ihm auch gefiel, und die Waldtauben in ihrer angenehmen faulen Form vor sich hin gurrten –, an so einem Tag pfiff Christoph Robin auf seine besondere Art und Weise, und Eule kam aus dem Hundert-Morgen-Wald herbeigeflogen, um zu erfahren, was er wollte.

„Eule“, sagte Christoph Robin, „ich will eine Gesellschaft geben.“

„Wirklich und wahrhaftig?“ fragte Eule erstaunt.

„Es soll eine extrafeine Gesellschaft werden, ein Fest zu Ehren Pus, weil er Ferkel aus der großen Flut gerettet hat.“

„Ach, dessswegen willssst du eine Gesssellschaft geben?“ wunderte sich Eule.

„Ja, bitte, sage es doch Pu und allen anderen, so schnell du kannst, denn die Gesellschaft soll schon morgen sein.“

„Ach, wirklich?“ zischelte Eule so hilfreich wie nur möglich.

„Also, bitte, flieg hin und erzähle es ihnen, Eule.“

Eule versuchte noch, etwas besonders Kluges zu äußern, aber da ihr nichts einfiel, flog sie davon, um den anderen Bescheid zu geben. Der erste, den sie aufsuchte, war Pu.

„Pu", sagte sie, „Chrissstoph Robin gibt eine Gesssellschaft."

„Ach", brummte Pu. Und als er sah, daß Eule mehr von ihm erwartete, fragte er: „Wird es auch kleine Kuchen mit rosa Zuckerguß geben?"

Da Eule es ziemlich unter ihrer Würde fand, über kleine Kuchen mit rosa Zuckerguß zu sprechen, berichtete sie Pu nur genau, was Christoph Robin gesagt hatte, und flog zu I-Aah.

„Eine Gesellschaft für mich?" murmelte Pu vor sich hin. „Wie großartig!" Und er überlegte, ob auch die anderen Tiere alle wüßten, daß es eine besondere Pu-Gesellschaft sein würde, und ob Christoph Robin ihnen auch vom „Schwimmenden Bär" und „Pus Verstand" und all den wundervollen Schiffen, die er erfunden hatte und auf denen er gesegelt war, erzählt hätte, und wie schrecklich es sein würde, wenn alle diese Geschichten schon vergessen hätten und niemand genau wüßte, zu wessen Ehren dieses Fest gefeiert wurde. Und je länger er darüber nachdachte, desto mehr verwirrten sich seine Gedanken über die Gesellschaft wie in einem Traum, wo nichts richtig ausgeht. Schließlich begann der Traum in seinem Kopf zu klingen, und es wurde eine Art Gesang.

„Es lebe der Bär!
(Es lebe wer?)
Ja, Pu der Bär!
(Was tat denn Pu?)
Na, hör mal, du!
Er rettete seinen Freund vor'm Ertrinken!

Es lebe Pu!
Ja, er, nicht du.
Er schwamm nicht gut,
doch rettete er ihn vor der Flut . . .
(Er rettete wen?)
Na, den,
seinen Freund, das Schwein.
Ist das nicht fein?
Ja, fein genug,
denn Pu ist klug,
sein großer Verstand
ist weit bekannt.
(Sein großer Was?)
Na ja, er aß
viel dies und das,
nur schwimmen konnt' er nicht,
doch trieb er auf 'nem Floß,
das war recht klein und gar nicht groß.
(Er trieb auf was?)
Na, he, jetzt laß
doch das Fragen
und hör auf mein Sagen:
Es war ein Topf.
Nun dreimal Hurra!
(Für wen soll's das geben?)
Für Pu tschingdada –
und lang soll er leben!
Es lebe der Bär!

(Es lebe wer?)
Ja – Pu der Bär.
Es lebe dreimal hoch Winnie-der-Pu,
der Bär von großem Verstand,
ja, er – und nicht du."

Während Pu dieses Lied dichtete, flog Eule zu I-Aah.
„I-Aah", verkündete sie, „Chrissstoph Robin gibt eine Gesssellschaft."
„Sehr interessant", sagte I-Aah. „Wahrscheinlich wird man mir wieder die schlechten Bissen anbieten, auf die man schon getreten hat. Ja, ja, immer freundlich und aufmerksam. Es macht ja gar nichts, es ist kaum erwähnenswert."
„Ich habe eine Einladung für dich."
„Was, was hast du?"
„Eine Einladung!"
„Ja, ich habe es gehört. Wer hat sie fallenlassen?"
„Esss issst nichtsss zum Esssen. Du bissst für morgen zu einer Gesssellschaft eingeladen."
I-Aah schüttelte langsam den Kopf.
„Du meinst Ferkel. Den kleinen Kerl mit den spitzen Ohren. Das ist Ferkel. Ich werde es ihm ausrichten."

„Nein, nein!“ widersprach Eule und wurde ganz aufgeregt. „Du bissst eingeladen!“
„Weißt du das auch ganz genau?“
„Natürlich weisss ich esss ganz genau. Chrissstoph Robin hat gesssagt: Alle, richte esss allen ausss.“
„Allen, außer I-Aah?“
„Nein“, sagte Eule unwillig. „Kanssst du esss nicht endlich begreifen?“
„Ach“, schnaubte I-Aah. „Kein Zweifel, das ist ein Mißverständnis. Immerhin, ich werde kommen. Aber schiebt mir bloß nicht die Schuld zu, wenn es regnet.“

Es regnete nicht. Christoph Robin hatte einen langen Tisch aus Brettern gebaut, und alle saßen um ihn herum, Christoph Robin auf der einen und Pu auf der anderen Seite. Zwischen ihnen hockten auf

der einen Seite Eule, I-Aah und Ferkel und auf der anderen Seite Kaninchen, Ruh und Känga. Alle Kaninchenfreunde und -verwandten hatten sich über das Gras ausgebreitet und warteten hoffnungsvoll, daß jemand mit ihnen spräche oder etwas fallen ließe oder sie etwas fragte.

Es war die erste Gesellschaft, an der Ruh teilnehmen durfte, und sie war sehr aufgeregt. Sobald sie sich hingesetzt hatten, begann sie zu reden.

„Hallo, Pu!“ piepste sie.

„Hallo, Ruh!“ antwortete Pu.

Ruh zappelte kurze Zeit hin und her und begann dann wieder.

„Hallo, Ferkel“, quiekte sie.

Ferkel winkte ihr mit der Pfote zu, da es zu beschäftigt war, um sich mit ihr zu unterhalten.

„Hallo, I-Aah“, sagte Ruh.

I-Aah nickte ihr düster zu. „Es wird bald regnen. Du wirst schon sehen“, kündigte er an.

Ruh sah nach, ob es regnete, aber es regnete nicht, also grüßte sie: „Hallo, Eule!“ – und Eule antwortete freundlich: „Hallo, mein kleinesss Mädchen“ und fuhr fort, Christoph Robin von einem

Unglücksfall zu erzählen, der einem Freund von ihr, den Christoph Robin nicht kannte, beinahe zugestoßen war. Känga mahnte Ruh: „Erst die Milch austrinken und dann reden." Ruh, die ihre Milch trank, versuchte zu sagen, daß sie beides auf einmal tun könne – und mußte auf den Rücken geklopft und ordentlich abgetrocknet werden.

Als sie genug gegessen hatten, schlug Christoph Robin mit seinem Löffel auf den Tisch. Alle hörten zu sprechen auf und waren sehr still, außer Ruh, die erst einen langen Schluckanfall beenden mußte und dann versuchte, so auszusehen, als ob sie eines von den Kaninchenfreunden und -verwandten sei.

„Diese Gesellschaft", erklärte Christoph Robin, „ist eine Veranstaltung, weil jemand etwas Besonderes getan hat, und wir alle wissen, wer es war. Es ist also seine Gesellschaft, und ich habe zur Belohnung ein Geschenk für ihn. Hier ist es." Dann stöberte er ein bißchen herum und flüsterte: „Wo steckt es nur?"

Inzwischen hustete I-Aah eindrucksvoll und begann seinerseits zu sprechen.

„Liebe Freunde", verkündete er, „einschließlich aller übrigen bereitet es mir ein großes Vergnügen, oder besser gesagt, es hat mir bis jetzt ein großes Vergnügen bereitet, euch auf meiner Gesellschaft zu sehen. Was ich getan habe, war nichts. Jeder von euch – ausgenommen Kaninchen, Eule und Känga – würde dasselbe getan haben. Ach, und Pu. Meine Bemerkungen beziehen sich natürlich nicht auf Ferkel und Ruh, weil die zu klein sind. Jeder von euch würde dasselbe getan haben. Aber zufälligerweise war ich gerade an der Reihe. Ich tat es nicht, ich brauche es kaum zu sagen, mit dem Gedanken, das zu bekommen, was Christoph Robin jetzt sucht" –

und er legte seinen Vorderhuf an den Mund und flüsterte ihm laut zu: „Such unter dem Tisch –, sondern weil ich gefühlt habe, daß man, um zu helfen, alles tun soll, was man kann. Ich finde, wir alle sollten ..."
„H-hupp!" japste Ruh plötzlich.
„Aber Ruh, mein Liebling!" sagte Känga vorwurfsvoll.
„War ich das?" fragte Ruh etwas überrascht.
„Worüber spricht denn I-Aah?" flüsterte Ferkel Pu zu.
„Ich weiß es nicht", brummte Pu ziemlich bekümmert.
„Ich habe doch geglaubt, es wäre deine Gesellschaft."
„Anscheinend ist sie es gar nicht mehr."
„Aber es ist doch eher deine als I-Aahs."
„Ja, das habe ich auch gedacht", seufzte Pu.
„H-hupp!" meldete sich Ruh wieder.
„Wie – ich – gesagt – habe", fuhr I-Aah laut und streng fort, „wie ich gesagt habe, als ich von verschiedenen lauten Geräuschen unterbrochen wurde, finde ich, daß ..."
„Hier ist es!" rief Christoph Robin aufgeregt. „Gebt es dem alten dummen Pu. Es ist für Pu."
„Für Pu?" fragte I-Aah.
„Natürlich. Für den besten Bären der ganzen Welt."
„Ich hätte es gleich wissen sollen", seufzte I-Aah. „Schließlich, ich will mich nicht beklagen. Ich habe meine Freunde. Einer von ihnen hat erst gestern mit mir gesprochen. Und es war vorige oder vorvorige Woche, daß Kaninchen mich anstieß und ‚Verflixt' sagte. Ja, ja, so ist das nun einmal in der Gesellschaft. Immer geschieht etwas."
Niemand hörte auf ihn, denn alle drängten: „Mach auf, Pu!" –

„Was ist denn, Pu?“ – „Ich weiß, was es ist!“ – „Nein, du weißt es nicht“ und andere hilfreiche Bemerkungen dieser Art. Natürlich öffnete Pu das Päckchen, so schnell er konnte, aber ohne die Schnur zu zerschneiden, weil man nie weiß, wann man ein Stück Schnur brauchen kann. Schließlich lag der Inhalt vor ihm.

Als Pu sah, was es war, fiel er beinahe um, so sehr gefiel es ihm. Es war ein Spezial-Federkasten. Es lagen Bleistifte darin mit dem Zeichen B für Bär und Bleistifte mit HB für Hilfreicher Bär und Bleistifte mit BB für Bester Bär. Ein Messer zum Anspitzen der Bleistifte war auch dabei und ein Radiergummi, um alles auszuradieren, was falsch geschrieben war, und ein Lineal, um Striche zu ziehen, auf denen die Worte marschieren konnten, und auf dem Lineal waren Zoll und Zentimeter angegeben, falls es nötig war zu wissen, wie viele Zentimeter etwas lang war, und blaue Bleistifte und rote Bleistifte und grüne Bleistifte, um besondere Dinge in Blau und Rot und Grün damit zu schreiben.

Alle diese wunderbaren Sachen steckten in einer besonderen kleinen Tasche, die mit einem Knall zuschnappte, wenn man sie schloß.

Und alles war für Pu.
„Oh!“ staunte er.
„Ach!“ sagten alle, ausgenommen I-Aah.
„Vielen Dank“, brummte Pu.
Aber I-Aah schnaufte vor sich hin: „ Diese Schreiberei, Bleistifte und was nicht alles! Ganz überschätzt, wenn man mich fragt. Dummes Zeug, hat gar keinen Wert.“
Später, als alle „Auf Wiedersehen“ und „Vielen Dank“ zu Christoph Robin gesagt hatten, gingen Pu und Ferkel nachdenklich nebeneinander in den goldenen Abend hinein und schwiegen lange Zeit.

„Wenn du morgens aufstehst, Pu“, fragte Ferkel schließlich, „was sagst du dann zuallererst?“
„Was gibt es zum Frühstück?“ antwortete Pu. „Und was sagst du, Ferkel?“
„Ich sage, ich möchte gern wissen, ob heute etwas Aufregendes passiert“, erklärte Ferkel.
Pu nickte nachdenklich.
„Das ist ja dasselbe“, stellte er fest.